JN078914

彷徨(さまよ)える現代を省察(せいさつ)する

科学者の世界の見方

池内 了

Satoru Ikeuchi

而立書房

目次

第三部　軍事研究に関わること

第四部　憲法と政治に関すること

第五部　科学に関すること

第六部 時のおもり抜粋

第一部

ウクライナ問題について

二〇二二年二月二四日、ロシア軍が突然ウクライナ国境を越えて進軍を開始し、ウクライナの首都キーウを包囲するかのような勢いで侵略が進んだ。以来、一年十か月を過ぎ、ロシアの占領とウクライナの武装抵抗は継続したまま膠着状態にある。この間、国連総会で三度までロシア非難の決議がなされ、国際司法裁判所（ＩＣＪ）はロシアの有罪を宣告したが、ロシアは無視し続けて戦争状態が終結する気配がない。ウクライナにはアメリカそしてＮＡＴＯ諸国が財政・武器援助を行っており、米欧中心のいわゆる民主主義国家と中ロを中心とする権威主義国家の代理戦争の様相を呈している。

このような事態に対して、ロシアの無法な侵略に対するウクライナの独立をかけた正義の戦争との図式から、日本ではウクライナ武装抵抗支持の意見が圧倒的に強い。これに対し、ロシアの圧倒的な軍事力に武力で対抗しても多大な犠牲者を出す一方になるだけとして、私は「ウクライナは白旗を掲げて戦争を終結すべき」という意見を持ってきた。そこで、この意見を新聞社に投稿しても採用してもらえなかった。「ロシア憎し」の世論に抗して、このような記事を掲載すると新聞社は強く非難され、読者離れが進みかねない、との恐れを抱いたのであろう。

そのこともあって、ウクライナ問題についてはあまり書く気がしなかったのだが、それでも「書き下ろし」を含めていくつか書いた。それをここでまとめておこう。

1 ウクライナの武装抵抗を煽ってはならない

ロシアのウクライナ侵攻が熾烈になって、今後どうなるか全く見込みが立たず、極端には欧米各国が参戦すれば第三次世界大戦になりかねない、と言われる緊迫状態である。今もっとも心配するのは、軍事力に頼る世界政治がいっそう露骨になるのではないかということである。核の威力によって戦争を抑制するという核抑止論は、プーチンの「核を使うぞ」との威嚇の言明によって核脅迫論に転化した。また、ロシア軍は原子力発電所を占拠し、いつでも原子炉を破壊して全世界に放射能をまき散らすとの暗黙の恫喝に使っている。核を脅迫に使う新しい冷戦が始まったわけだ。

さて、このようなロシアの傍若無人の振る舞いを押さえるのはどうすればいいのだろうか？ウクライナにはアメリカを始めとして北大西洋条約機構（ＮＡＴＯ）諸国からの武器援助が行われる一方、若者は兵士として参戦し、武装した自警団が組織され、高齢者たちは火炎瓶作りに参加しているという。外国人部隊を「義勇兵」として募るというニュースも流れた。日本のテレビに出演する多くの評論家たちやマスコミも、ウクライナの武装抵抗を「正義の戦い」として、ゼレンスキー・ウクライナ大統領を英雄と礼賛している。武力対立を煽ることは、いっそう危険を増大させるばかりだというのに。

現時点において私が考え得る提案は、ゼレンスキーが全世界のメディアの前面に立ち、「国民を撃つなら俺を撃て！　交渉しようではないか」とプーチン（ロシア大統領）に呼びかけることではないかと思う。そして、国連の事務総長グテーレスの立ち合いの下でプーチンとの差しでの停戦交渉を、粘り強く、世界中が注目するように要求し続けることである。

そんなことではゼレンスキーは無視されたまま、ロシア軍に国土がいっそう蹂躙され、国民は数多く殺傷されるだけだから無意味である、やられたらやり返せ、徹底して武装して戦うことこそ正義だ、と言われるかもしれない。実際、このまま圧倒的なロシア軍の強圧の下では、ロシアに国土も言葉も文化も人権も国民の財産も奪われてしまう可能性があり、武装して抵抗するしかないと思える。

しかし、私は武装による抵抗には反対である。武装抵抗は、おそらく非武装抵抗の何十倍もの銃弾を浴びて殺されるであろうと思われるからだ。結果的に味方の犠牲を増やすことになるばかりである。むろん、武力を棄て、白旗を掲げて降参しても殺される危険性はある。しかしロシア軍の兵士もロボットではなく、故郷に家族がいる一人の人間である。白旗を掲げた無辜(むこ)の人間を無差別に殺傷するだろうか。たとえ撃ったとしても厭戦(えんせん)の気持ちを持つだろう。プーチンとロシア軍とは異なり、その離反こそが侵略を押しとどめることになるのではないか。少なくとも、私は人間同士の殺戮の連鎖に少しでもブレーキをかけたいのである。

武装抵抗でロシア軍に銃を向けるのに比べると、非武装抵抗の方が犠牲数は少なく、核兵器の使用や原発の破壊も押さえることができると私は考えている。少しでも生き残って、来るべき正義の回復の日まで、しぶとく武器を持たずに闘い続ける方を選ぶのがよいと思い、そう言いたい。「命こそ宝」なのだ。

このことは、ウクライナ後の日本が進むべき方向について強い示唆を与えている。現状において一番心配しているのは、日本がウクライナのように侵攻されてはならないとして、軍備を強化せよとの世論が強くなっていることである。「ウクライナは武器を取って立ち上がった、我々も侵略されたら撃退できる武器を持たねばならない」という論だ。実際に非核三原則を放棄すべきとし、安倍元首相が語ったように米軍と核を共有しようとの強硬論すら強まっている。また、改憲して自衛隊を先頭にして戦争をできる国にしよう、そうしないと国が守れない、との声が高まっている。こうして、日本は自衛のための軍拡論が大手を振り、軍事大国化への道を歩むのだろうか。

今、日本では、ロシアの非人道的な侵略への怒り、ロシアに踏みにじられているウクライナの人々の厳しい状況への同情が渦巻いている。それはそれでいいのだが、冷静になって、日本が侵略を招かない政治姿勢を貫き、平和のための外交交渉の先頭に立つ国であることを主張し続ける必要がある。ウクライナの状況を直ちに日本に重ね合わせて軍事の強化に走ってはならないのだ。

今後、世論がどのような方向に流れていくのだろうか。恐ろしい現実になるのではないかと強く懸念している。

（二〇二二年五月 執筆）

2　白旗を掲げることこそが真の勇気

ロシアがウクライナに武力侵略している
ロシアの理不尽な侵略であることは確かである
泥棒にも三分の道理があるとはいえ
ロシアの言い分を聞いても理不尽さは減じない

ウクライナは大統領の指令で武装抵抗を選んだ
NATO諸国はこれを歓迎して武器供与を行っている
日本はヘルメットと防弾チョッキを送って武装抵抗を支持している
「祖国を守るため」の掛け声に同調したからだ

しかし、この戦争によって
どれだけの
ウクライナの義勇兵が殺され、武装した市民が殺され、

大切な家族が殺されるのだろうか
どれだけの
ロシアの兵士が反撃の銃弾で死ぬのであろうか
それは侵略の報いだと言って切り捨てるのだろうか

むろん、ロシア兵士とウクライナ市民の死は対称ではない
一方は国際法を踏みにじった侵略者であり
他方は国土を蹂躙されたことへの武装抵抗である
一方は武力によって他国民を死に陥れようとしており
他方は平穏な日常が銃剣によって死を強制されているからだ

だから、あたかも両者を対等のごとく論じるべきではない
侵略した者と迎え撃つ者であるから
一方は完全な「無法者」であり、他方は完全な「被害者」である

しかし、ゆっくり考えてみよう
銃と火薬の背後の世界を

ロシアの兵士にもウクライナの市民にも
安否を心配する家族がおり
生きていて欲しいと切望する同胞がいることだ
命を慈しむ気持ちには国境はない

この無意味な殺し合いを最終的に止めるには
キエフにおいて
プーチンとゼレンスキーと国連事務総長のグテーレスの三者が会合し
停戦協議を行って合意点を見つける以外にはないだろう

その前になすべきことは
戦争による犠牲者をいかに少なくするかであり
その最善の方法は
ゼレンスキーが武装抵抗に終止符を打つことだ

そのために

彼が「白旗」を掲げて
「国民を撃つなら俺を撃て！　交渉しようではないか」と前面に出て宣言し、
ウクライナ国民にも「白旗」を掲げて降伏するよう呼びかけることではないか

「白旗」を掲げて降伏する無装備の市民を前にして
ロシア軍は無差別殺戮を行うだろうか
すべての窓から「白旗」が出されている建物を爆破できるだろうか
屋根の上にまで「白旗」が広げられている家屋の空襲が行えるだろうか

ウクライナが「白旗」を掲げることは
侵略された者が頭を下げる筋合いはなく
ウクライナ人が、国家を失い、言葉を奪われ、人権を失うことになるとして
武装抵抗を継続することこそが正義であると言うかもしれない
しかし、それは多大な人命を失うことになるのは明らかである
「白旗」を掲げて捲土重来を期する方が
どれだけ犠牲が少ないだろうか

未来ある子どもたちや若者が生き残ることにこそ
ウクライナの未来があるのではないか

今、必要なのは一歩後退の勇気である
「白旗」を掲げてでも命を全うする勇気
その勇気を持続するよう
互いに励まし合おうではないか

（二〇二二年五月 執筆）

3 「国権主義」か、「民権主義」か

ロシアのウクライナ侵攻が起こり、ウクライナの武装抵抗路線が当然として広く受け入れられ、日本も侵略に対して国を守るための軍事力を増強しなければならない、という議論が賑やかに交わされている。国家権力が第一に尊重されるべきとする「国権主義」の立場が大手を振って日本や世界を席巻しているのである。しかし私は、「国権」よりも、個々人の人権を優先する「民権」（あるいは「私権」）をより重要視することを政治の基本に据えねば人々の幸福は保障できないと考えている。「お国が大事」との「国権主義」が罷り通るとファシズムを招いてしまうと危惧するためである。

私は「わが国」あるいは「国益」という言葉が嫌いだ。「国」と「私」が同値されており、気持ちが悪いのである。「国権主義者」は軍事力によって国民を統合しようとする。そのためには「わが国」を侵略しようとしている「敵」を仮想しなければならない。そして、その「敵」は常に武力で勝ろうとするから、「わが国」も常に軍事力を増強し続けねばならない、ということになる。こうして果てしない軍拡競争が続き、社会保障費や医療費や教育費が削られて国民は病弊していかざるを得ない。それにもかかわらず、強力な宣伝によって、強い軍事力を持つ国家こそ第一だと多数の国民に思わせ、「私」と「国」を同化させていく。「わが国」と

か「国益」という言葉がその象徴である。このような国民が大多数となるとファシズムが到来するのだ。

これは単なる悪夢ではなく、ひ弱な民主主義しか培ってこなかった日本の行く末ではないだろうか。アジア・太平洋戦争に大敗北した日本は、「国権主義」の戦前を反省して、平和主義、基本的人権そして民主主義を原則とする日本国憲法を掲げ、教育基本法など「民権主義」の立場に立つ数多くの民主的な法システムを築き上げてきた。しかし、やがて「国権主義」が勢力を盛り返し、せっかく築いてきた民主的諸制度を次々と「改正」し破壊してきた。何次にもわたる防衛力整備計画によって「自衛力」を強化し、今や世界有数の軍事力を有している。このように、戦後の日本では「国権主義」が復活し、「民権主義」を追い詰めてきたと言えるのではないか。

安倍内閣が登場して「国権主義」を「積極的平和主義」と言い換え、秘密保護法、集団的自衛権の容認、国家安全保障法、共謀罪法など、「国権主義」をより強固にする法律を次々と制定し、憲法改悪への地ならしを押し進めた。そして、今や「敵基地攻撃能力」を「反撃能力」と言い換えて先制攻撃論が勢力を増しつつある。国民の多くも「国権主義」に染められて、人権・民権を国家に譲渡する方向を選んでいる。改憲を主張する政党が選挙で大きな勝利を得たことは、いよいよ日本はかつての「国権主義」の権化である大日本帝国へ回帰しつつあることを物語っているのではないか。「自衛のため」と称して先制攻撃によって侵略を開始しかねない日本なのだ。そんな日本をなんとか歯止めしているのが憲法九条である。にも拘らず、自民党の「憲法改正案」によって九条に自衛隊が明記されたら、歯止めなき軍事国家日本となってしまうことは確実である。

気をつけなくてはいけないのは、自衛隊が憲法で認知されたら、当然それにふさわしい「新自衛隊法」を策定すべきという動きが出ることだ。その法律では、自衛隊員のみに適用される刑法や軍事法廷が明記され、自衛隊員は国家の安全のために働く人間だから厳しい罰則は課さず、治外法権的に扱われるだろう。特高の復活や徴兵制に言及する可能性もある。自衛隊が国家の機関として憲法に書き込まれることは、「軍隊」として認めることにつながるのである。今後の「憲法改正」論議を厳しく監視し続けねばならない。「国権主義」を優先することは、日本の軍国主義化へと続く道であることをしっかり見据えなければならない。

現在の憲法は、日本が再び侵略国となる過ちを犯さないための歯止めとなることを目指したものである。そのため、「国権主義」の立場をすっぱり放棄し、「民権主義」を徹底して民主主義と人権を何よりも大事にする国を目指すことを宣言したのであった。現在の政治状況を見ると、もはや手遅れの感がなきにしもあらずだが、このことを声を大にしてしぶとく言い続けるしかない。私の世代は平和憲法がもたらした成果を享受しながら、それを本当に有効に活かした日本とすることができなかった。その悔いを残しつつ、憲法のありがたさを今一度反芻（はんすう）し、社会に向けて訴え続けていくべきだと考えている。

（二〇二三年一月執筆）

4　核抑止論から核脅迫論への転化

ロシアのウクライナ侵攻に対して、多くの抗議声明が出されて、ほとんど論点は出尽くしている。しかし、やはり私としての意見を述べるべきと思い筆をとった。

核の危機が目の前に迫っている。核ミサイル発射のボタンに手をかけて、米ソが互いに脅し合った六〇年前のキューバ危機を思い起こした。今回は、プーチン大統領がほのめかした核兵器使用の危険性とともに、チェルノブイリ原発を始めとするウクライナ国内の原発（一五基あり九基が稼働中とされる）を武器として使う事態が現実に生じており、より緊迫した状況である。

つい最近のことなのにもはや誰も覚えていないが、二〇二二年一月三日に、英米仏ロ中という核保有五か国首脳が「核戦争を防ぎ、軍拡競争や核の拡散を行わない」とする共同声明を発表した。そこには「核戦争は勝利がありえず、けっして戦ってはならないものであることを確認する」とあり、さらに「核兵器について、それが存在し続ける限り、防衛目的に役立て、侵略を抑止し、戦争を阻止するものであるべきであることを確認する」としていた。核を用いた戦争は回避すべきで、核兵器は戦争抑止のためと言っていたのである。

非武装論者である私は、いかなる戦争も戦ってはならず、核廃絶はむろんのこと通常兵器も全面廃棄すべきという意見である。その立場から、この五か国声明は、国際世論の核保有国に対するＮＰＴ（核不拡散条約）六条の義務の履行要求や核兵器廃棄を迫っている状況への弁明であり、時間はかかっているが世界は少しずつ健全な方向に動いていると受け取っていた。

しかし、今回のロシアの暴挙は、この声明を破棄し、歴史を一気に後戻りさせることになった。プーチン大統領の言明は、「核抑止論」が「核脅迫論」に転化したことを意味するからだ。「核抑止論」は、核兵器の巨大な破壊力への恐怖が戦争を抑止するという立場であり、核兵器に手を付けたとき世界は壊滅するという意識が背景にある。つまり、侵略を受けた場合の最後の手段との位置づけであった。これに対し、「核脅迫論」は核兵器の威力を前面に出し、いかなる敵であれ核によって殲滅するとの脅しで屈服させるとの立場である。

核がもたらす惨劇を脅しに使っていることで「核抑止論」と「核脅迫論」は共通するが、「核抑止論」は戦争の最後の手段であるから、戦争の最初の手段である「核脅迫論」とは異なるとされてきた。しかし、今回のプーチンの言明で「核抑止論」は「核脅迫論」に簡単に転化することが明らかになった。「核抑止論」の化けの皮が剥がれたと言えようか。それにしても、脅迫によって自己の主張を通そうとするのはヤクザ同然ではないか。なんと野蛮な世界になってしまったのだろうか。

核兵器使用の脅迫に加えて、ロシア軍がウクライナ・ザポリージャ原発を砲撃したとの報道から、原発が戦争の道具に利用される事態が改めて鮮明となった。原発を標的としてミサイルを撃ち込んだり、電源破壊などによって核反応の暴走・原子炉爆発を起こさせる危険性が現実のものとなったからだ。もしこれが実行されたら、ウクライナのみならず欧州そして地球全体に深刻な放射能汚染を招くことは確実である。まさに、プーチン大統領が原発を人質に取って、ロシアの侵略に反対する者への威嚇に使っているのだ。核によるもう一つの脅迫である。

徹底した平和攻勢によってロシアの暴挙を止めさせ、国連の場にプーチン大統領を引っ張り出して交渉のテーブルに着かせる、そんな理性の復活を世界中の世論としなければならない。

(「中日新聞」二〇二二年十一月二〇日)

第二部

原発に関すること

二〇一七年に当時の米山知事の英断で新潟県原子力事故に関する三つの検証委員会が発足し、翌年に検証結果を総括する「検証総括委員会」が設置されて私にその委員長が委嘱された。福島事故の検証をきちんと行い、それを新潟県の柏崎刈羽（かしわざきかりわ）原発の安全性の評価に活かそうとの試みで、私はその意図に共鳴して、喜んで検証総括委員長を引き受けた。しかし五年半経って、検証総括委員会は二回しか開催できず、二〇二三年三月三一日に任期切れを理由に解任されてしまった。こうなった理由は、柏崎刈羽原発の再稼働を目指す花角（はなずみ）新潟県知事を始めとする県の意向と、検証を厳しく行って柏崎刈羽原発の安全性の論議に繋げたい私の考えが対立したためである。本章は、こうなった経緯を整理した上で、日本の原発行政についての論考をまとめた。原発の使用済み核燃料の最終処分については徹底してサボり続けて後回しにし、悲惨な福島事故を起こしたにも拘らず、なお原発利用を推進しようというのが日本政府の無責任な方針である。このような態度を厳しく批判し続けねばならない。

1　新潟県・検証総括委員長解任のいきさつ

はじめに

二〇一七年八月に、当時の米山隆一新潟県知事の強い意向により、二〇〇三年から活動していた技術委員会に、避難委員会と健康・生活委員会を加えて「新潟県原子力発電所事故に関する三つの検証委員会」が発足した。さらに、それらの検証結果をとりまとめる検証総括委員会が二〇一八年一月に発足して第一回の会合が開かれたのは二月で、これによって柏崎刈羽原発の再稼働論議の前提となる「徹底的な検証と総括」を行う体制が整ったのである。

その準備段階であった二〇一七年の秋に、知人を通して米山知事から私に対してこの総括委員長に就任の打診があった。二〇一一年三月の福島第一原発の重大事故に関連して、国は政府事故調査委員会（事故調）や国会事故調を起ち上げたが、それらは事故経過を現象論的に追っかけた報告書を提出したのみに留まって、その後具体的な事故原因の検証を行っていない。このことに私は不満を持っていた。その限界を克服すべく、新潟県が独自の検証委員会を設置したのは、原発の再稼働をなし崩しに進める政府に対して、そして何より柏崎刈羽原発の安全性に不安を持つ新潟県民に対して、大いに意味があると考え、委員長を引き受けたのであった。

二〇一八年六月に選出された花角英世知事も米山前知事の意図を踏襲して、その公約として

「三つの検証の結果が示されない限り、柏崎刈羽原発の再稼働の議論を始めることはできない」との考えを表明し、さらに「検証結果については、広く県民の皆さんと情報を共有するとともに、評価をいただき、その上でリーダーとして責任を持って、結論の全体像を県民の皆さんにお示しします。そして、その結論を受け入れていただけるかどうかについて、県民に信を問うことも含め、県民の皆様の意思を確認するプロセスが必要であると考えています」と述べている。選出直後の八月に花角知事と顔合わせをしたとき、私に対し「期限を区切ることなく議論を尽くしていただきたい」と述べ、それ以上何らの要請をしなかったので、思う存分自由にやらせてもらえると思ったものである。私は検証総括委員長としての責任の重大さを感じつつ、委員会においてどのような議論をすべきかの検討を開始した。

但し、二〇一九年度中は各検証委員会の議論の進捗を見守る必要があって委員会は開催されなかった。しかし、二〇一九年三月二八日と五月八日に非公開の検証総括委員会を開催して、委員会の目的、県民の意見聴取会の提案、今後の審議の進め方等について自由討議をしてウォーミングアップを行った。二〇二〇年に入って本格的に委員会審議を始めようとしたのだが、折しもコロナウイルスが蔓延したこともあって会議が開かれにくくなった。私が検証総括委員会はネット会議ではなく対面で行うべきと望んだためもある。ようやく三年ばかりの期間を経て、第二回の検証総括委員会が開かれたのは二〇二一年一月のことであった。このときには、各検証委員会の議論の進捗状況を聞くのが精一杯で、検証総括委員会で議論すべき内容等について私の希望を述べるのみで、その詳細にまで立ち入ることができなかった。

実は、この頃から新潟県原子力安全対策課の担当者と私との間に、検証委員会の進め方について重大な意見の相違が生じるようになっていた。その詳細については以下に詳しく述べるが、それが原因となって花角知事と決定的な対立となり、知事が「検証総括委員会を開催しない」と宣言し、そのまま花角知事と私の間で対立状態が続き、以後検証総括委員会は二年以上開かれることがなかったのである。そして起こったことは、二〇二三年三月三一日を以って検証総括委員会の委員長及び委員六名全員を「任期切れ」で「解任」するという事態であった。委員長である私に対し何らの事前通告もなく、検証総括委員会は「消滅」したのである。三つの検証委員会もそれぞれ報告書を提出し、解散となった(技術委員会のみは過去の経緯から「柏崎刈羽原発の安全対策の確認」を行うため存続している)。こうして、画期的な試みとして開始された新潟県の原発事故に対する検証・総括体制であったのだが、その総括報告書を出せないまま終焉となってしまった。その後、花角知事は五月一〇日に、これまで出された四つの検証報告書の矛盾や齟齬を整理する検証総括作業を県が事務的に行うという方針を発表し、九月一三日に県の事務局が作成した「総括報告書」を公表した。果たしてこんな安直なやり方で花角知事は約束した公約を実践しようというのであろうか。

検証委員会の意義

原点に遡って、米山前知事が設置し、花角知事がそのまま継承した新潟県の三つの検証委員会の意義を再確認しておきたい。この検証委員会は、技術・避難・生活と健康、という三つの基本的な問題に絞って、系統的に福島第一原子力発電所の過酷事故の検証を行ない、柏崎刈羽原発の安全性に関する議論につなげていこうとの目的で、新潟県が委嘱して正式の委員会として起ち上げたものである。国がサボり続けてきた福島事故の検証作業を行うとともに、さらに柏崎刈羽原子力発電所の安全対策の確認を行う、という重要課題を扱う委員会の発足は実に画期的なことであった。

検証委員会の軸である技術委員会の議論には、福島原発事故がなぜ起こったかを技術的な側面から明らかにすることに留まらず、その反省を柏崎刈羽原発の安全性に関する具体的対策に活かすという目的がある。新潟県民にとっては、柏崎刈羽原発についての情報を得ないことには、わざわざ検証委員会を起ち上げる意味がないからだ。

健康と生活への影響についての委員会は、事故が起こった結果として、福島県の住民の避難の実態も含めた健康や生活への直接的な影響を明らかにすることを目標としている。万が一、再稼働した新潟県の原発が事故を起こした場合、同じ困難を被ることになるから、県民は福島での実態を我が事のように受け取り、覚悟した上で再稼働の諾否を出すことになるだろう。

避難委員会は、福島事故の際の混乱した避難行動の悪夢を繰り返さないことを最大の目標としている。福島事故の当時は原発の「安全神話」が強く信じられていたため、原発事故について何ら想定されておらず、過酷事故の発生で周辺地域に放射能汚染が生じたときの避難手順が全く考えられていなかった。その結果、住民は盲目的に避難せざるを得ず、むしろ放射能の飛散が多い地域へ逃げていったという結果さえ生じた。この経験を参考にして、避難委員会においては安全で被曝を最小限に食い止める実効的な避難の方策を提案することを目的とした。

これら三つの検証委員会は、福島県と新潟県とは地形や季候も人口構成も産業構造も原発の型式も異なることを頭に起きつつ、福島で生じた出来事が新潟においてどのように起こるかを検討することになる。そうすることによって初めて、原発を抱える新潟県民が原発を所有し稼働させることへの自覚や覚悟も芽生えるであろうと期待された。

私は、二〇一九年九月に発行された『新潟県政と検証委員会の役割』（にいがた自治体研究所）の「新潟県の原発再稼働「三つの検証」の意義」と題した論稿で、「検証の観点と深層防護」と題した文章を書いた。そこでは、「新潟県が原発災害予防のための「事前対策」と、万一事故が起こったときの災害が拡大しないための「事後対策」の検討を行い、県民の原発に関する明確な意志と覚悟という意識啓発を促すこと」を検証のチェックポイントにすべきと提起した。

実は、「国際原子エネルギー機関（ＩＡＥＡ）」が、原発の事故対策に関して「深層防護」と呼ばれる概念を提案している。何事も起こらない通常運転の第一層、そして小規模な現場事故の第二層から敷地外へ放射能が拡散する大規模な事故の第五層まで、起こり得る原発事故対策を段階的に五つの「層」として分類し、各層の「事前対策」と「事後対策」を明確にするという対処法を推奨しているのだ。この「深層防護」は国際基準になっており、それぞれの「層」で示された重要な対策をチェックポイントとし、実際にそれが実行されているかどうかを厳密に点検すべきとしている。

問題の急所は、この第四層の後半から第五層までの、原発事故が敷地内から敷地外へ拡大していく事態への対処、特に原発の従業員や周辺の住民の避難についての対策である。ところが、日本の原子力規制委員会はその対策のガイドラインは示しているのだが、それ以上の具体的な規制基準を設けていない。つまり、実際の対処・対応は地元自治体に丸投げしているのである。だから、例えば放射能が敷地外に放出される重大事故において、原発の周辺自治体の住民の避難行動について、事業者である電力会社がなすべき義務を何ら示していないのだ。結局、住民の避難については原発の立地および周辺自治体が責任を持たねばならない。原子力規制委員会は原発の技術的側面のみを審査の対象にし、事故時の避難については関与しないのである。

というわけで、原発が立地する県・立地自治体・周辺自治体が、事故が起こった際の避難計画を策定し、避難訓練を催し、事故が起こってから完全に終息するまでの住民の健康・生活・就業・避難・放射能管理などの後始末の一切を負わねばならない。事故後十二年を超えた福島では、除染した汚染土の中間保管地・汚染水の海洋投棄・住民の減少や自死や被曝問題など、実にさまざまな難題が未解決のまま継続している。福島の復興・再生のためとして「福島イノベーション構想」などのハコモノ事業が行われているが、それは地元の人間を置き去りにしたまま、都会の大企業のための「災害便乗資本主義」が露骨に展開している姿と言える。新潟県に設置された三つの検証委員会は、これらの問題についても検討するのが本来の任務であった。しかし、それ以前のところで止まってしまった。新潟県当局が検証作業を福島事故の表面的な状況のみに制限し、柏崎刈羽原発の安全性の問題まで拡大しない（させない）との意向が背後にあったためである。

県の態度の変化の兆候

原子力関連事項を扱う新潟県の部局は原子力安全対策課で、検証委員会の進め方について最初は協力的であり、専門家にお任せするとの態度であった。ところが、その態度が二〇二〇年六月頃から変化し始めた。まず安全対策課の職員が、技術委員会報告を福島事故の検証のみに留め、柏崎刈羽原発の安全性に関わる事柄には触れないという方針でまとめさせようとしたのである。それに気づいた私は、当時の課長に「柏崎刈羽原発の安全対策の確認をきちんと書き込むべきだ」と述べたのだが、「技術委員会の報告は福島原発の事故原因に限ることにした」との回答であった。私は「そもそも検証委員会の名称が「新潟県原子力発電所の事故に関する検証委員会」になっており、福島事故の検証に限るのは当初の目的に反するのではないか」と抗議した。しかし、「県の方針はそうなっています」との返答で、それ以上は曖昧な回答に終始したのである。他の委員会の委員からも、「県は検証を急がせているようだ」との感想も耳にした。中央政界では原発再稼働の声が高まり、財界筋からの視察団が度々柏崎刈羽原発の現場に訪れているということもあって、県として早期に検証を済ませたいと考えているのだろうか、と私は思った。

そのような意図が背景にあったのか、早くも二〇二〇年十月二六日付で技術委員会からの報告書が提出された。これには「福島第一原子力発電所事故の検証～福島第一原子力発電所事故を踏まえた課題・教訓～」と題されており、柏崎刈羽原発の安全性について具体的な言及が一切ない。続いて、二〇二一年一月十二日付で「福島第一発電所事故による避難生活への影響に関する検証～検証結果～」と題する生活分科会からの報告書が提出された。ここには、主として避難者に対するアンケート調査等の結果から、避難生活の困難や問題点が手際よくまとめられているが、現象の羅列に終わっている。「生業」を失った人びとの生活上の困難の根本要因や時間的推移まで詳しく追跡しての調査を行っていないからだ。

さらに一年半以上の時間が空いた二〇二二年九月二一日付で「福島第一原子力発電所事故を踏まえた原子力災害時の安全な避難方法の検証～検証報告書～」と題する避難委員会からの報告書が出された。ここには九九の項目と四五六の論点を摘出したとしているのだが、それらは平面的に並べただけであって、重要性や緊急性についてのランク付けやコメントがない。また例えば、今冬にも経験した、交通が途絶するような豪雪時の避難行動について何らの提起がなく、避難委員会の名に値しないと言わざるを得ない。

この避難委員会からの報告書が九月二一日に知事に手渡されたのだが、花角知事と関谷委員長との遣り取りが象徴的であった。関谷委員長が「福島第一発電所事故ではこういう課題があったとか、新潟県ではこういう課題があり、こうしなければいけないという様々な論点を九九項目四五六の論点としてまとめました」と説明した。それに対し、知事は「『課題』ということばは一般的に使われると、それが欠陥とか欠けていることというか、そういうふうに使われることが多い。これはまさに議論したことが四五六項目ありました、こういう理解でよろしいですね」と応じたのであった。つまり、花角知事は四五六の論点が、原発避難をめぐる「課題」ではなく、単なる「議論項目」に過ぎないとわざわざ念を押したのである。「課題」でないなら、一体何なのか。結局その取扱いは知事の一存に委ねられてしまったわけだ。

最後に、二〇二三年三月二四日付で「福島第一原子力発電事故による健康への影響に関する検証」が健康分科会より提出された。福島事故によって生じた放射線被ばくとその健康リスク、中でも一番注目されている甲状腺がんについて多く議論されている。福島県民健康調査では甲状腺がんの多発はあるものの「被ばくによる影響とは考えられない」としているが、果たしてそうなのか。これについて検証報告書では、データの公開の経緯から議論を展開しているのは注目される。しかし、国連科学調査団報告の問題点については十分にこなしきれていないし、甲状腺がん以外の健康被害（例えばメンタルヘルス）について、もっと分析して欲しかったと思う。総じて十分整理された報告書とは言えないのだ。

第二回検証総括委員会以降の動き

この間の県と検証総括委員会の動きについて順に述べていこう。二〇二一年一月二二日に第二回検証総括委員会が開催された。第一回から三年におよぶ間隔をおいての委員会招集なので、各検証委員会からの検証の進捗状況を聞くことが主要な目的となった。付け加えて、私が委員会の場で強調したことは、

①技術委員会と生活分科会の報告書が直接知事に提出されたことを遺憾に思う。総括委員長である私に提出するのがスジではないのか

②タウンミーティングを開いて、県民の意見を委員会の議論に反映させるべきではないか

③技術委員会の報告書には柏崎刈羽原発の安全性に関する議論が一切書かれておらず、その審議の進捗状況を報告書に追加すべきではないか

ということであった。

知事が委員会審議に出席するというので時間の制約もあり、上記①~③については委員の間で意見交換するに留まった。しかし、②のタウンミーティングについては多数の委員の賛成意

見が表明され、③については当時の技術委員会の委員長から、柏崎刈羽原発の安全性に関する議論のあらましを報告書として付け加えると約束されたので、それなりの成果はあった。

ところが、県の担当者は委員会のこのような遣り取りを傍聴して、このまま池内委員長の方針で検証総括委員会を運営することは県の思惑から外れるとして、大きな危惧を抱いたに違いない。県として委員会運営についての意向を私に提示しておかなければならないと考え、二〇二一年六月七日に当時の防災局長が、わざわざ新潟から京都の私の自宅にまで出向いて来たのである。その目的を防災局長は、「知事から『今後の検証総括委員会の進め方について、具体的に委員長の意見を確認した上で、委員長のご意見について、他の検証総括委員会委員の意見を確認する』よう指示があった。その「打ち合わせ」を行う」と述べた。そのとき防災局長から示されたのが「池内委員長のお考えを確認したい事項」であり、それについて縷々局長と意見交換をした上で双方がメモを作成し、それを基本にして「検証総括委員会　池内委員長のご意見と県の考え」をまとめた。私のコメントをほぼそのまま文章化し、県の意見と対比した一覧表として作成し、双方が内容について確認し合ったのである。その内容については、後に述べる。

実は、このとき初めて、知事がどのような意見を持っているかを具体的に提示したのである。それまで知事は検証総括委員会の運営について、私に面と向かって注文を付けていなかった。この頃から、県は検証委員会の議論を福島原発事故の検証のみに留めようと考え始めたらしい。

そのため、タウンミーティングで県民の意見を聞くことはせず、柏崎刈羽原発の安全性の問題には言及しない方針としたのである。この一覧表の作成によって、知事が検証総括委員会運営のイニシアティブを握ろうとの方針を明確に示したということになる。

といって、この段階では知事と私の間で意見の相違はあるものの、直ちに厳しい対立状態になったわけではない。委員会審議で意見の相違は解決できる、と最初は知事も考えていただろう。というのは、県の原子力安全対策課と私との合意の上で、検証総括委員会委員全員に宛てて七月一三日付のメールで「第三回の検証総括委員会を九月二日に開催すること」を通告し、七月二一日付のメールで「検証総括委員会池内委員長のご意見と県の考え」として一覧表をそのまま配布したからだ。つまり、この一覧表が配布された時点では、「双方の相違点を明らかにする」ことを検証総括委員会で議論することを予定していたのである。私も検証総括委員会において県と私の言い分の違いが公平に議論され、どちらの考えで委員会としての審議を進めるか決められると思っていたのだった。

「私の意見と県の考え」の相違の要約

一覧表にまとめられた私の意見と県の考えの相違を以下に示しておこう。

(1) 県民の意見を聞く機会（タウンミーティング）の実施

「私の意見」報告書が作成されてからの説明会では、県民はただ報告に従うのみの存在になるから、県民が何らかの形で議論に参加できるタウンミーティングを持ち、委員会審議にフィードバックさせることが必要である。そうすることで最終決定に対する県民の一体感も生まれる。

「県の考え」三つの検証は各分野の専門家にお願いした検証作業の結果であり、県民の皆さんと情報共有を行い評価していただく。そのための県民への説明の機会は、検証作業が終わって結果が取りまとめられた後に設ける（要するに、県民には説明会に留めるということである）。

(2) 柏崎刈羽原発の安全性の検証結果の確認

「私の意見」柏崎刈羽原発が安全に稼働できるかどうかを確認することは総括委員会の重要な任務であり、単に福島事故の検証を行うことのみでは不十分である。従って、柏崎刈羽原発に対して何ら言及しない検証総括はあり得ない。技術委員会の報告書には両論併記が目立ち、かつその部分では、柏崎刈羽原発ではこれだけの手を打っているので安全性を確保している、というような検証がなされていない。また、技術委員会報告書には二三項目の柏崎刈羽原発にかかわる検討事項を挙げているだけで、何ら具体的提案がなされていない。

「県の考え」検証総括委員会は、運営要綱にあるとおり、福島第一原発事故及びその影響と課題に関する三つの検証の個別の検証を総括することを目的としているのだから、柏崎刈羽原発の安全性については、技術委員会における施設の安全性についての確認結果とを合わせて、総合的に判断していくことにしている。だから、今回の総括では柏崎刈羽原発の安全性については触れない。

(3) 東電の適格性評価の議論

「私の意見」東電の適格性問題は、一連の原子力規制委員会からの措置に見るように深刻であり、避けて通ることができず、検証総括の最終段階できちんと明示しておかねばならない。東電は一〇年以上も原発を稼働させておらず、非常時において現場で信頼できる職員が払底している可能性があり、原発の事業体としての適格性を点検しなければならない。さらに東電の事業体としての適格性問題は、補償問題・汚染水問題・警備体制問題への誠意ある対応など多岐にわたっており、問題点を列挙するだけでも意味があり、東電との協定が改めて必要になるかもしれない。このように厳しい目で見ていることを常に東電に意識させることが必要なのである。

「県の考え」検証総括委員会は三つの検証を総括することを目的としているのだから、東電の適格性に関する議論はその設置目的には入っていない。東電の原発運転の適格性については、現在技術委員会が行っている柏崎刈羽原発の安全性の確認において確認項目の一つとされており、今後原子力規制庁からの審査内容について説明を受け議論することにしている。

⑷　検証総括委員会の最終報告書

「私の意見」各検証委員会の報告書に矛盾がなく一貫していることをチェックするのは当然ではあるが、各委員会の書式・内容・力点は統一されておらず、抜け落ちている項目、互いに補完的な議論を必要とする項目等、大所高所から議論して三つの検証委員会が意思疎通をすることが求められている。委員会の枠を越えた合同の委員会開催を考える必要もある。

「県の考え」検証総括委員会の任務は、各検証委員会が専門家の知見に基づき客観的・科学的に検証していただいた結果について、矛盾等がないかを各委員に確認していただいて三つの検証のとりまとめをすることであり、最終結果報告書はその結果を記載したものと考えている。

⑸　委員会への知事の出席

「私の意見」検証総括委員会に知事が出席して議論の推移を見守ることは自由な議論を妨

げる懸念がある。知事は節目の会議のみに出席して、後は総括委員会を信頼して任せ、報告書を得るというのがスジではないか。

「県の考え」検証総括委員会は、運営要綱において、知事の求めに応じて開催することになっており、出席については知事が判断する。

知事との対立

ところが、予定が完全に狂うことになってしまった。私と県の言い分を検証総括委員会で議論することに横槍が入ったのである。その最初が、二〇二一年八月六日の県の幹部と私との「打ち合わせ」の会であった。私は単なる「打ち合わせ」だと思って何の疑問もなく出席したのだが、副知事、危機管理監、防災局長の三人から約一時間近く、検証総括委員長として県の方針に従うよう強く要求されたのであった。要するに、「一覧表に書かれた「私の意見」を引っ込めて、「県の考え」に従った委員会運営を行う」よう私に強く要請したのである。これに対し私は、「県の考えに従うと、真に県民のための検証総括にはならないから、その要請には応じられない」と、私の意見を主張したのであった。

実は、県の幹部は、「県が設置した委員会なのだから県の意向に従うべきだ」と、日本の審議会方式の常道を求めたとも言える。日本では「審議会」（最近では「有識者会議」と、いかにも高級そうに呼ばれることが多い）という形の無責任行政がはびこっていて、そのやり方を政治家や官僚は当たり前と考えてきた。要するに、会議を招集した諮問者の意向通りの会議運営を行うのを当然としているのである。私は検証総括委員会は県の考えとは独立に議論を進めるべきであると反論し、「県のためではなく、県民のための総括を行いたいので県の意向には従えない」と何度も述べた。結局、双方の意見は平行線のままであったから、県の幹部たちも私の説得は無理と判断し、知事に下駄を預けることにしたのであった。

花角知事とは、九月二日に予定していた第三回の検証総括委員会の予定をキャンセルして対談することになった。九月二日の知事との一時間弱の会見では、むろん知事も、県の幹部と同じ意向に沿った委員会運営を要請し、知事からの圧力で私が折れることを期待したのであった。ところが私は、「それでは県民のための総括にはならない」として拒否した。そんな遣り取りが続いた後、知事は突然「委員長が私の意向を尊重していただけないなら、今後、総括委員会は開かないことにします」と言明した。検証総括委員会の開催は県知事の決済事項だから、知事がその開催を拒否したら委員会は開けない。だから、「知事が「委員会を開かない」と言明することは、「委員会を開かせない」ということですね」と私は応じるしかなかった。

そして、「それなら、私を総括委員長の職務から解任していただきたい」と申し出たのだが、知事は解任するつもりはないとの意向を表明した。穿って考えれば、知事と総括委員長である私との関係が決裂となった責任を私に押し付け、私から辞任を申し出るよう圧力をかけたのだと思われる。私はその場は「考えさせて欲しい」とだけ述べ、このまま委員長を続けるか、辞任するかどうかについては明言しなかった。

その後、今度は私から知事との会見を申し入れ、「事態の解決のために知事と率直に相談したい」と要請した。それが実現して、十月二二日に花角知事と再度の会見が行われた。その場で私は、「一覧表に示された私の意見と県の考えを検証総括委員会の場で議論し、委員会が尤もだと結論した方向で検討を進めたらどうか」と提案した。一種の「妥協案」で、もし検証総括委員会の委員の過半数が県の意向に従った委員会運営を行うべきだという意見であるなら、私としてはそれを無視して強引に私の意見で審議を進めるという気はなかったのである。というより、検証総括委員会の過半数の委員はむしろ私の意見に賛意を示してくれるであろう、その意見を背景にして委員会の議論を進めたいと考えたのである。どう考えても、県の言い分より私の意見の方に理があり、委員の多くもそう考えて協力してくれるだろうと期待したのである。

しかし、知事はあくまで県の考え通りの線で進めたいとの固い態度を変えず、私の「妥協案」を拒否し、県の考えに従った委員会運営を行う約束がない限り委員会を開催しないとの意向を再度言明した。それに対して私も、知事の提案を飲むことはできないと述べ、結局今回の会見も物別れとなった。私は「なぜ知事がそのような考えをされているかの明確な説明がない限り納得できない。しばらく考えたいので辞表は出さない」と述べて知事室を退出したのである。その後、花角知事との直接の折衝の機会はなく、双方がこれまでの意見を変えないことを県の事務局を通じて何度か確認し合ってまま、最後に「解任」ということになったのである。

この経緯からわかる通り、二〇二一年七月の段階までは、知事（および県）と私の意見の齟齬があることは双方がわかっており、それを検証総括委員会で議論して何らかのよい方向を探ろうという道筋を双方とも考えていたのである。しかし、そこに県の幹部が介入してその方針に反対し、それが、知事と私との対立の状況を導いたというのが正しい。一覧表をオープンにすれば、私の意見の方が正当であるという見解が多数となって、時間をかけて検証総括を行うことになるのは確実である。検証結果を早期に無難に処理したいと望んでいる県の幹部や知事としては、それでは先行きが不明になってしまう危険性を感じたのではないか。そこで知事が強権を発動して「検証総括委員会を開かない」との断を下したのであろう。

知事は、検証総括委員会を通常の自分達の意のままになる審議会と同じと見做して、それを私に押し付けようとしたのである。それを拒否する私の扱いに苦慮し、いずれ池内委員長が折れるか自ら辞任するかを期待したのだが、そうならず、そのまま対立状態が続くことになった。いずれ東電に対する原子力規制委員会の厳しい点検調査の終了が近づくから、再稼働について本格的な議論をなすべき時期がやってくる。そのため花角知事としては、とりあえず厄介な池内委員長を切っておこうと考えたのだろう。その策として任期切れを利用して解任したのだと考えられる。

今後の方針について

私としては、検証総括委員長を解任されたことで終わりではない。これまで意見として述べてきたことを実際にやり通さねば委員長を引き受けた責任が果たせないし、科学者としての自尊心が許さない。また、私と知事の間の確執を広く新潟県民に知らせて、真に県民のための検証総括をあくまで追求していくべきと考えている。そこで以下のような手立てを取ることにした。

(1) 四月一九日には、避難委員会の副委員長であり、検証総括委員でもあった佐々木寛氏と記者会見をして、花角知事宛の「要望書」及び「質問状」を提出した。この要望書は、検証総括委員会が消滅してしまったことに関して、花角知事に対してこのようになった経緯について直接質問する機会を設けるよう要望したものである。私と佐々木寛氏以外に、検証総括委員であった鈴木宏氏（健康分科会委員長）と松井克浩氏（生活分科会委員長）が加わって四名の連名となっており、検証総括委員会の過半数を占めている。併せて、質問状には、①このような事態を招いた本質が知事の検証総括委員会への介入にあることを認識しているか、②検証総括委員全員を解任して委員会を消滅させたことの理由、③今後どのようなスケジュールで検証総括委員会の発足を考えているか、の三点について問いかけを行った。検証総括委員会について、①は過去の経緯、②は現在の状況、③

は将来の方針について質問したものである。

(2) 五月一〇日に、花角知事が「今後、新たに検証総括委員会を設置せず、県が検証結果に矛盾等がないか確認してまとめる作業を事務的に行う」と言明した。これまで出された検証結果を、科学者・専門家から成る検証総括委員の目を通さず、矛盾や齟齬がないかを事務的に整理する方針を明らかにしたものである。これによって九月十三日に出された『総括報告書』は検証結果に対する形式的な寸評を加えるのに留まり、一切の批判的な言辞を含まないものである。そのため、せっかく米山知事が全国に先駆け起ち上げた「新潟県原子力事故に関する検証と総括」を、全く無に帰することになってしまった。何とも空しいことである。

(3) そうなるといっそう、検証総括委員長を引き受けた私自身の責任が強く問われることになるだろう。そこで、委員長であった者として、真っ当な検証総括を行う責務があるということで、『池内特別検証報告』と称する、私が主張してきた総括報告書の執筆・公表を十一月に行う。併せて、幅広い市民としての視点から「新潟県原子力事故に関する私たちの検証と総括」を行うことを、新潟の人たちと組織することにした。

(4) 同時に、新潟の県民に対し、検証・総括の重要性を広く認識して柏崎刈羽原発の再稼働への疑問点を集約するため、新潟の各地域できめ細かく対話集会を続ける。その集会で出された意見や要望を冊子としてまとめ、それを知事に突き付けて考えを改める一助にしたい。やはり幅広い県民からの柏崎刈羽原発への批判的で厳しい評価こそが、今後の動きに対し決定的に影響するだろうからだ。

(「前衛」二〇二三年七月、十一月に一部加筆)

2 「新知見」と科学者・技術者の責任

はじめに

私は、新潟県が二〇一八年に組織した福島原発事故検証委員会（技術委員会・避難委員会・生活と健康委員会の三委員会で構成）の総括を行う検証総括委員会委員長に指名され、各委員会の検証作業を見守りつつ、全体の総括をいかに行うかについて頭を悩ましてきた。その立場から、原発の安全性に関わる「新知見」が、安全性の評価にどうかかわっているかについて、執筆を依頼された。ここでは、検証総括委員長としての意見ではなく、日本学術会議で進行している原子力利用の安全性に関わる「新知見」の評価についての私見を述べることにしたい。

「想定外」から

原子力利用に関して、日本学術会議の議論では、工学研究者を中心に福島事故についての技術的側面が多く議論されてきた。そこでは、「安全神話」に捉われていた政府や発電事業者のみならず、原子力の研究者や技術者までもが福島第一発電所で生じたような原発の過酷事故が現実に起こるとは考えておらず、実際に事故を目の当たりにして「想定外のことが生じた」と表現した。津波が防潮堤を乗り越えて来ることは最たる「想定外」の出来事であり、さらに外部電源が遮断され、補助電源が機能せず、冷却水の注入が不可能となる事態もまた「想定外」であった。政府や国民だけが原発の「安全神話」に捉われていたのでなく、原発に関わる科学者・技術者も安全神話の語り部であったのである。

そして、それに対する弁解・言い訳は、予期せぬ出来事、つまり「想定外」の事象の連鎖であって不可抗力であったということに終始した。私はそれを聞きながら、いかにも傲慢なのではないかと思った。本来、人間が未来すべての状況を想定することは不可能であり、想定外は当たり前のことであるからこそ、専門家である科学者・技術者はいっそう想定の範囲を広げて、安易に「想定外」と言えない状況へ自らを追い込む必要がある。だからこそ科学者・技術者は安易に「想定外」と言ってはならず、なぜ自分たちが想定した状況から外れてしまったかを厳しく問い詰める必要がある、そして、そもそも自分たちが想定した枠組みが正しかったのか、技術を甘く見てその枠組みから外れる要素を無視していなかったか、をじっくり検証することが求められていると考えている。

「新知見」へ

ところが、最近「新知見」と言われるようになった。二〇一九年五月に公表された原子力安全に関する分科会報告[*1]において、福島事故における津波対策に焦点を当てて分析・検討した結果、自然現象（津波）への対応において「新知見への取り組み」が不十分であったとの結論を得た、とある。端的に言えば、「外的に誘引された不確定度が大きい事故要因への対応（つまり津波評価）」を「新知見」と呼んでいるようである。

再び私は、この分科会報告を読んで疑問を持たざるを得なかった。「新知見」と称するものがどこまで「想定外」と異なるのかを明らかにしていないからだ。「新知見への取り組み」が不十分であったと反省すると言われても、通り一遍の反省はできるが、採るべき根本的な解決策を提起することができないだろう。実際に、この報告書には「何が不足していたのか、未だに明確な結論が出されていない」とある。「想定外」と言えば想定の甘さを突かれるが、「新知見」と言えば考えも及ばなかった新たな知見が必要であったのだから、当時の科学者・技術者に責を求めるのは過酷であるということになる。「想定外」を「新知見」に言い換えることによって、原子力の専門家の心の重荷を軽減させるレトリックと取らざるを得ない。後に述べるように、そこには技術の発展という先端技術に関わる科学者・技術者に共通する思想の盲点のようなものがあるのではないか、と思うのだ。

「新知見」とは何だろうか

福島事故に関しての「新知見」とは、専ら地震に伴って生じる津波の規模と威力についての知識のことであり、それは原子力の専門家にとって考えの及ばざる事象であったのは事実であろう。しかし、それを「新知見」として一般化し、誰もが知り得なかった自然現象だとしてよいのだろうか？　そもそも「新知見」とは何なのかを考えてみる必要がある。そこで、二〇二〇年九月一〇日に開催された日本学術会議公開シンポジウム「新知見の扱いとその活用」が開催[*2]されたので拝聴した。ところが、そこでは「新知見」という言葉の一般論の議論になって、実際の福島の原発事故に関わって原子力利用の問題点そのものを、根本的に洗いなおす議論が後景になってしまった。そのことを遺憾に思っている。

このシンポジウムでは「新知見」は何を意味するかについて、

①これまでになかった新現象が出現した場合（例、地球温暖化）
②自然界の法則を初めて見つけた場合（新発見された現象）
③一〇〇〇年に一回の事象の場合（貞観以来の大津波）
④あるグループでは常識だが別のグループでは未知の事象である場合

と四つに整理された。いずれも当事者にとって、旧知見にしがみついていてはわからない新たな知見である。だから、研究者・技術者集団での相互研鑽（けんさん）によって新知見を積み重ねていくことが不可欠であったという論理立てになる。

しかしながら、それは原発の安全性をいかなる想定の下で担保するかの日常の研究活動に必須のことであるから、あえて「新知見」と言う必要はない。事実、津波の評価について「新知見」と言われているが、既に大津波の襲来は予見されていたのだから、それを取り入れて現場で生かす敏感な感性を欠いていていたに過ぎない。

「失敗学」の系譜

工学技術では「失敗学」と呼ばれる実践手法がある。技術の行使において生じた失敗（事故）の際、当事者たちの責任を追及するのではなく、もっぱら技術的合理性からの逸脱がどこで生じたか、その原因を明らかにし、それを次のステップの技術的改良・改造に活かすというものだ。生じた失敗の解析から技術の本質を理解することが技術の発展には不可欠との考え方で、日常の技術についても推奨されるべき手法と言える。

とはいえ、いかなる技術に対しても「失敗学」が適用できるのだろうか。つまり、「失敗学」はその技術の存続は自明とされ、改良を重ねてより良いものにしていくことは善だとの立場である。むろん、その技術を行使している人にとっては、技術そのものを否定せず、失敗があっても救済する方向を示してくれるから「失敗学」は重宝である。大事故を引き起こしても責任は追求されず、その原因を追究して解決策を示せば技術をより洗練させることにつながるから、歓迎されることになる。

しかし、原発のように、巨大すぎて「失敗学」では捉えきれない技術もあるのではないか。「失敗学」が有効であるのは「部分の和＝全体」という技術システム、つまり要素技術の集合体で、各要素に関わる失敗要因が分離していて独立に解析できる場合である。いわゆる「複雑系」のような多重の要因が絡みあうような技術には、適用できないのではないかと疑問を抱くのだ。

もう一つ、「失敗学」においては失敗を招く要因のトップに「未知」がおかれ、未知が原因であっても何らかの手段でカバーできる場合のみに「失敗学」が適用できるという点である。無知は学習で解決できるが未知は学習できず、未知の領域があると予想されれば実験を繰り返して未知を既知にするしかなく、その間は独立した技術とは見做せない。当然、「失敗学」の対象にならないのである。原発の安全性に関する「新知見」の存在は、まさに「失敗学」が掲げる要因の「未知」に当たる。「未知」をカバーする万全の技術が開発できるまで、あるいは実験を積み重ねて「未知」を既知とできるまで、「失敗学」が相手をすべき技術ではないということになる。それでいいのだろうか？

科学者・技術者の社会的責任

最後に、原子力利用の安全性に関する「新知見」の評価に遭遇した後の、科学者・技術者の社会的責任について、少々付け加えておきたい。

第一は、「新知見」と呼んでいる概念の内容をもっと明確にしなければならないことだ。原発の安全性を阻害する要因に対して「想定外」という言葉と「新知見」がどう異なっており、それへの私たちの対応がどう異なるのかをはっきりさせる必要がある。科学者・技術者として、個々の問題に対してどのような責任を持って対応しようとしているかを明確に示す必要があるからだ。それは科学者・技術者が遵守すべき最低の義務であり、それが全うされていることが確認されて初めて、私たちは健全な科学・技術社会を生きることができるのである。

第二に、科学者・技術者は自分の技術的営為が社会に何をもたらすかについての考察と、現実にどうであるかを比較検証する態度が不可欠である。特に、「新知見」と言うからには、新たに見出される知見には大きな不確定度が含まれているはずであり、それをいかに考え、安全のための技術的措置に活かしているかを点検すべきではないか。まだ形にならない段階であるなら、綿密な実験を積み重ねることに限り、安易に社会に持ち出してはならない。技術は人間に使われて初めてその真価を発揮するのだが、生身の人間を実験台にすることは許されない。社会に活かそうと焦るあまり、不完全な技術を野放しにしてはならないのだ。

最後に、原発は社会的な必要性が強調されるが故に、技術的不十分さが二の次になりがちである。さらに、使用済み核燃料の最終的処分が決まらず放射性廃棄物が累積する一方で、それは次世代の人間の負の遺産となっている。このような、原発が持つ重大な困難を知りつつ、なお技術開発に邁進するのかを、しみじみと胸に手を当てて考えてみるということも、その社会的責任を問い直す第一歩になるのではないだろうか。

注

＊1　日本学術会議総合工学委員会原子力安全に関する分科会報告「我が国の原子力発電所の津波対策—東京電力福島第一発電所事故前の津波対策から得られた課題」（二〇一九年五月二一日）

＊2　日本学術会議公開シンポジウム「新知見の扱いとその活用」（二〇二〇年九月一〇日）

（「学術の動向」二〇二〇年十二月号）

3　無責任な日本の原子力開発と行政

はじめに

皆さんこんにちは。今日予定していた世界平和アピール七人委員会の講演会は、コロナ禍を心配される方が委員に多くおられたので、やむなく中止ということになりました。この講演会は二年ほど前から宮永崇史さんに開催を引き受けていただけないかとお願いしていたのですが、十か月ほど前に正式にお引き受けいただきました。その折衝をした責任が私にありまして、かつ弘前には今まで二回来ておりまして、豊かな農業地帯と言うのが私は非常に好きなので、今回は講演会中止を謝るための来訪の機会を作っていただきました。

今日お話しするのは、七人委員会の講演会で個別二五分間の講演時間をいただいておりましたので、そのために準備していた内容です。今回は、小沼通二さんが「原子力開発状況の実像と虚像」という原子力開発初期の姿、それから島薗進さんが戦後の、特に「日本における原発開発過程の言説」をまとめられる予定でした。私は「原子力開発の行政の問題」ということで話そうと分担をしていました。私の分担分が一番生々しい話になります。

矢内原忠雄が指摘した日本人の体質

矢内原（やないはら）忠雄の述懐ということからお話ししたいと思います。彼は東大の総長を務めた方で、皆さん多分ご存知だと思います。戦前の一九三七年に、言論の問題で東大を辞めさせられた人です。滝川事件とか天皇機関説問題とかはよく新聞に書かれておりますが、矢内原さんも思想の問題で東大を辞めさせられました。彼は一九四五年十月、ですから戦争が終わってすぐに、「日本精神への反省」という講演を行っています。それが岩波新書で刊行され、今でも入手できます。

この表題は、日本はなぜ戦争に負けたかということですね。彼は主に三つの原因ということを言っていますが、お互い関連しあっているということもあって、三つという風に分けていいかどうか迷うところです。一つは「責任観念の欠如」です。軍部もそうなのだけれども、人々もそうであったと彼は言うわけです。日本人の言い方でよく「水に流す」と言うでしょう。それから、次の道義心も絡むのですけれど、「いまさらあれこれ言っても仕方がない」と言う習性があるのですね。責任を追及しないわけです。責任を追及しないまま、そのまま水に流して、これまではどうであっても今からが大事なんだという風に言うのですね。いかにも正義、正しいことを頑張ろうという意志を統一させるためにそう言うのだけれども、それによって、本来どこに原因があったかということをきっちり追求する精神が薄められている、というわけです。特に人が人に対して責任を持つ、人格観念の欠如があります。誰も自分の行動の責任を取らないで済ますのです。

矢内原さんは、皆さんもご存知だと思いますが、キリスト者です。彼の息子の名は「伊作」で、イサクという聖書に出て来る名前です。西洋では、人は神の前で誓う、あるいは宣言する、自分はこうであるということを宣言します。プロフェッサーと言う時のプロフェスはそういう意味です。神の前で、自分はこうであるということを誓うのです。これに対し日本人は、神の前で何をやるかというと、祈るだけで誓わない。要するに、人格を持った人間と神との契約関係がなくて、個人個人がちゃんとした人格の持ち主という発想が薄い、というわけです。それはつまり責任感の欠如に結び付いています。これは道義心が低いということとも結びつきます。道義心が低いというのはまあ「臭いものにふたをする」「正邪・善悪に対する潔癖さがない」という感じです。今で言うと、政府が決めたことに従うのは国民の義務であるとして、自分の頭で考えない。また、道義心の欠如と言っていいのか分かりませんが、「カネで解決するしかない」というような言説にも広がっていると思います。

もう一つは、科学的精神が発達していなかったことです。科学者の言う事は「学者のたわごと」であると見做されました。現在の日本学術会議問題も、マスコミ等がいろいろ書いてますが、実は人々の関心としては非常に薄い。菅政権に対する批判はあっても、菅政権への支持が五〇%もあります。学者のたわごととまでは言わないけれども、あの学術会議に一〇億円もかけてなんだ、ということを言われるわけですね。

原子力問題を考える時に、本当に科学的精神を発揮したならば、エネルギー源としての原子力に未来はあるのか、と疑問を持つことになるはずです。それから、安全神話とはなんであったのか。今また復活し始めていますが、本当に突き詰めて安全神話から脱したのか疑問があります。再び安全神話が広がっているということは、科学的精神のもとで神話を信用するのをやめることができてはいないということです。子や孫の時代までのことを想像する力というのは、実は科学的精神の重要な要素であります。

彼はこの三つのこと、要するに責任感の欠如、道義心に欠けていたこと、科学的精神が無かったこと、を述べたわけです。物質的にもアメリカやイギリスの国力と比べたら圧倒的に負けることがわかっていたのに、これらの言説で隠したわけです。私はこの矢内原忠雄の述懐をよく使って、学生たちにも、我々日本人の気質にそういうところがあるのだから、よくよく自分たちの行動として注意しよう、と話しています。

原子力行政における無責任体質

その中の無責任の象徴である原子力行政の問題についてお話しします。そもそも日本の原子力が動き出したのは一九五四年の三月、いわゆる中曽根予算と言われています。彼は「札束で学者のほっぺたを叩いてやった」と言いました。後でそんなこと言っていないとは言うのですが、新聞にはそう書かれています。まさに政治家が、原子力利用に対して、政治的な論理を科学より先に立てて強引に進めた、その始まりがこれであったわけですね。二億三千五百万円の予算を勝手につけて、学者たちには何も相談なしに進めさせた。これは無責任極まりないことですね。その年にビキニ事件が起こりました。第五福竜丸が被災した有名な事件です。当時、ビキニ環礁では土佐あたりからの漁船が九〇〇隻以上操業していました。これら漁船が全部被災したのですが、第五福竜丸だけが問題になった。スクープがあったからということです。

政府は原子力を進めたいし、アメリカは悪く言われたくない。さらにアメリカも原子力の友好外交をやりたいということで、日本政府とアメリカが密談をして、二〇〇〇万ドルの補償金を出してあとは全部なかったことにしてしまいました。無責任極まる隠蔽工作であります。土佐の船に乗っていた人たちが裁判を起こしましたが、時効であると門前払いされてきたのですね。ただ裁判官は、それじゃあまりに素気無いと思ったのか、行政がちゃんと考えるべきであると一言加えたわけですが、それだけです。

それから一九五五年から正力松太郎(しょうりき)という、後に科学技術庁の大臣になりますが、彼は読売新聞の社主で、新聞社こぞって平和利用キャンペーンというのをやりました。原子力の平和展を全国でやり、広島の地でもやったんです。彼らの言い方は「毒をもって毒を制す」というものでした。初めの毒は原子力の平和利用という毒のことで、原爆反対という毒を抑え込んだという、そういう論理でやったのです。日本学術会議で議論になる前に、平和利用というキャンペーンが全国的に張られてしまいました。後に一九五五年になって原子力三原則というのを、学術会議が言いだして、原子力基本法の中に「自主・民主・公開」という三原則が入ることになったのです。ところが、その三原則自身も非常に危ないもので、実際、原子力基本法で謳われた自主的開発、民主的な職場環境、それから公開、あらゆる情報を公開することですね、そこには多くの国と多国間の情報を交換するということも含まれていますが、それらは最初からほとんど守られませんでした。現在も守られていません。その理由は、日本とアメリカの原子力協定と言うのが壁になっているんですね。要するにアメリカへの従属体制ということが決定的にあります。むろん日本とカナダの原子力協定などもありますよ。ウランを購入する時の協定で、オーストラリアとも原子力協定を結んでいますが、一番根底的なノウハウとか資材とか施設、それからウランですね、そういうものの平和利用に関するすべての事柄を結んだのが日米原子力協定であって、それで三原則が抑え込まれてしまいました。今まで三回改定されてきました。こちらの協定が最優先されて、三原則は無視されてきたのです。これも無責任行政と言えるでしょう。

そういう行政の側面の無責任と共に、もう一つの開発という問題で、政府プラス電力会社とか原子炉メーカーとか立地自治体とか、そういう現場の開発状況においての無責任性が続いてきました。日本の技術開発と言うのが、自主開発ではなくて、完成技術を輸入すると言うのがお得意であったということです。これは明治以来そうなのですが、日本は一周遅れ、二周遅れの近代的な科学技術の輸入国でありました。その時点では完成した技術をとにかく買い込んで、それを改良していくという路線をとってきたのです。その典型が原子力です。

技術の輸入：原発と宇宙

もう一つは宇宙ですね。ロケット開発。日本では糸川さんという方が自主開発を進めていましたが、科学技術庁が出来て、そこが輸入技術で進むというわけで、今のH2ロケットなんかも輸入技術を基本にしたものです。そういう日本の技術導入の仕方の問題点と言うのを、科学史、技術史という観点からも解剖して議論すべきではないか思います。

このような方法のどこが問題なのかというと、技術の急所がブラックボックスなのです。要するに相手は基本的に一連の技術のノウハウを売りたいわけです。そこで急所の技術の部分はブラックボックスにしておいて公開しない、その結果、触れない、分からないとなる。そうして、向こうは少しずつ少しずつそれを売ってくるわけです。すると、結局非常に高い買い物になって、しかも時間がかかるということになる。さらに、原子力技術も、宇宙開発も、軍事技術と関係するところがあるでしょう。そのため非常に機密事項がたくさんになります。ブラックボックス以外に絶対公開しない軍事機密が沢山あるのです。それをよけながら開発を進める必要があるということで、非常に不利な条件も受け入れざるを得ない。このため不十分で、非常に高い買い物になるわけです。

原発の場合は特に（重厚長大技術と私は呼んでいるのですが）、そういう技術の移入には時間がかかり、出発点と完成時点とでは十年ものずれがあるわけです。原発建設は最近でも五年から七、八年かかっていますよね。そうすると完成した時点で、その技術は古くなっている可能性が高いわけです。その典型が原子炉で、福島原発のマーク1というとご存知かもしれませんが、事故を起こしたのはマーク1というタイプで、あの原発を設計した人自身が欠陥技術であると言っているんですよ。格納容器が小さいのですね。だからちょっと暴走するだけで爆発しやすいという状況になるのです。

原発ではいま、例えばコアキャッチャーという、安全のために格納容器をさらに取り囲む容器を西欧では作っています。圧力容器、格納容器、コアキャッチャーの三重構造です。ところが日本はコアキャッチャーをやらないんですよ。ヨーロッパではつける。原発はそういう風につぎはぎだらけの技術になって行かざるを得ないのですが、自主開発ではないという、技術の無責任性の問題は大きいものです。

原発の反倫理性

それから立地予定自治体に分断と差別を持ち込むという問題があります。これは原子力開発体制における無責任性です。日本では五〇以上の自治体に原子力施設の立地の話が持ち込まれました。現実に原発が建設されているのは十いくつなのですが、多くの自治体に建設話が持ち込まれて、その町ではまさに分断が起こったのです。賛成派と反対派の対立がずっと続いて、原発は来なかったけれども、その対立状態だけは未だに残っているという自治体も数多くあります。これはまさに開発体制の無責任性がそのまま残っているわけです。その開発体制の無責任さは差別の構造にあります。これは高橋哲哉さんの弁ですが、沖縄に対するのと同じ構造で、要するに押しつけている。過疎地帯、産業がなくて貧しい地域を選んで、そこに原発を持ってくる。今は核のゴミを北海道の過疎地に押しつけようとしていますけど、そういう差別の構造、あるいは植民地的体質があります。非倫理性とも言えます。それがないと成立しえない技術、要するに無責任さがないと成立しえない技術であると言えます。

初めから分かっていたのですが、トイレなきマンションと言われますね。これは武谷三男が言い出したのかな？　要するに廃棄物の最終処分については全く成算がないまま原発を進めており、どんどん廃棄物だけがたまっている状況にあって、中間貯蔵所がそのまま最終処分地になる可能性が高い。さらに私が心配しているのは、これから廃炉時代がやってきます。日本では五七基原発が出来ました。これらについて本当に電力会社が最後まで全部責任をもつのかという問題があります。ほったらかしにしてしまう可能性があると思うんですよね。誰も責任を取らないで、先送り、先送りという状況がずうっと続く。今の政治家の姿勢も、全部先送りですよね。先の見込みがないのに事業を続けるという、日本の公共技術の典型みたいなものです。公共事業と言うのは、いったん始まると止まらないわけです。今まで日本で何千億円とかけた公共事業で止まったのは、宍道（しんじ）湖の砂除け堤防くらいかな。宍道湖に農地を作るというので湖の半分を埋めようとしたのですが、あれは止まりました。止まったのはあれだけじゃないのかなという気がするのですが……。お金をかけた事業は、これだけお金をかけたのだからもったいないという理由で止まらないわけです。その結果として、より大きな損害を引き起こす。このような状態を西欧では「コンコルド問題」という言い方をします。コンコルドという超音速の飛行機、あれは初めからオゾン層を破壊する、商売にならない、と言われていたのだけれど、これだけお金をかけたんだから止められない、というので突き進んで、コンコルドを飛ばしたわけです。その結果大赤字が出て、にっちもさっちもいかなくなってやっと止めた。公共事業はいったん始まると止まらない。これは無責任性の象徴的な表れです。

核燃料サイクル

核燃料サイクルと言うのは現在の無責任性を象徴して、具体的に今もなお進行しつつある問題です。皆さんご存知だと思うので、あまり詳しい事は言いませんけれど、まず高速増殖炉でプルトニウムを増殖します。燃料を増やすということが一番の目的ですが、その高速増殖炉のもんじゅが廃炉になりました。そうすると、再処理してプルトニウムを取り出してもプルトニウムの使い道がなくなっちゃうので、核燃料サイクルの根幹部分はもはやないというのが、今の状況です。

先にアメリカとの原子力協定について、日本はアメリカへの従属的な関係がずっと続いてきました。この従属関係の中で、原子力協定は、核物質の購入というのが中心事項になるのですが、それに付随する施設とか資材とか、いろいろな工場とセットになった協定であります。日本では核燃料サイクルが初めから原子力行政の狙いにありました。一九六八年の旧日米原子力平和利用協定というのがあり、この後、増殖炉と再処理工場を作っているのです。小型です。小型である理由は、この時はアメリカにウラン一つ一つの使用まで全部を報告しないといけなかったのです。使用前に「これをやります」と予定を出して、使用後には「これだけ使いました」と報告する。それを完璧にやる必要があったのですね。だから大型はやれないし、アメリカも非常に厳しい条件をつけていたわけです。「常陽（じょうよう）」という名の増殖炉と東海村で再処理工場をとにかく動かし始めました。これらは今、廃止状態になっています。

その次の一九八八年の、二〇年経った時の日米新原子力協定では、アメリカに使用前から使用後までいちいち全部報告せずとも総括的にこれだけ使いますと言えば、全部許可されました。濃縮、再処理、燃料の加工、これらを全部アメリカが許可したのです。これは世界で唯一日本だけに許可したと言われています。日本で核燃料サイクルが本格的に動き始めたのが一九八八年の日米新原子力協定からで、小さなテスト運転から始めて、本格操業となりました。ところが、「もんじゅ」は二〇一六年に廃炉になりました。六ヶ所の再処理工場は一九九七年に操業開始予定だったのが、今は二〇二四年に操業予定ということですから、まったく遅れに遅れているわけで、二六回延期をしたということなのです。二〇二四年だってどうかわかりませんけれども、現在そういう状況にあるわけです。

核燃料サイクル推進で、二〇〇〇年ごろまではどの国も競って高速増殖炉と再処理をやろうとしました。再処理技術そのものは、プルトニウムを取り出す技術でもあり、原爆を持っている国は当然その基本技術を持っていて、再処理工場を動かしているわけです。だから高速増殖炉でプルトニウムを増やすということが基本的な目標でしたが、ウランがたくさんあれば、別にプルトニウムを増殖する必要がありません。

もう一つは技術的な困難です。高速増殖炉ではナトリウムを冷却剤として使うのですが、そのコントロールが非常に難しく、みんなお手上げになったのです。最後に残ったのがフランスと日本でした。フランスではスーパーフェニックスという高速増殖炉を始めましたが、これも止めることになりました。最後に残ったのが日本です。核燃料サイクルのことも含めて、青森県に原子力行政の無責任さの矛盾を押し付けているという風に私は思っています。

原子力船「むつ」

私が原子力問題に関心を持った一つには、一九七四年の原子力船むつの問題があります。もう四九年前ですが、九月一日に出港して出力が〇・三三%ですから三〇〇分の一しか動かさない段階で放射能漏れが検出されました。慌ててホウ素入りのご飯を炊きました。ホウ素という中性子を吸収する物質を含んだご飯粒を貼り付けて、放射能が漏れないようにしたという、有名な話があるわけです。この時、森山科学技術庁長官だったと思うんですが、「市民のむつに対する反対は科学に対する挑戦である」、「原子力を怖れるのは火に怯える獣だ」という、すごい発言をしました。

一九七四年頃と言うのは、原子力行政が花盛りの時代でした。全国でどんどん原発が建設された時代です。従って、一九七八年ぐらいから各地で原発が稼働し始めます。その時にまさにこういうことを言ったわけですね。原子力船むつはほとんど活躍しないで廃船になってしまいましたが、この時の原子力委員会の委員長（科学者）は、「非常に見事な成果を上げて退役することになりました」なんていうことを言ったんですよね。それはもう、無責任極まりない行政であり科学者の姿であったと思います。

廃棄物処理場としての青森県

そして原子力基地が、いまや青森県、特に六ヶ所村を中心としたところにどんどん造られ、放射性廃棄物の集積地になろうとしています。無責任原子力開発と無責任行政を告発し続ける、ということが、現在もこれからも非常に重要なことであると思います。

青森は廃棄物の最終集積地拒否をあきらめない、そのためには放射性廃棄物は持って帰らせるということが非常に重要です。「地産地消」という言葉がありますが、地元で生産したものは地元で消費するという、大量生産、大量消費からの脱却が「地産地消」という考え方です。

このもう一つ次の段階で、「地消地廃」、消費した土地で管理し廃棄する。大量生産、大量消費、大量廃棄という悪循環を克服するためには、生産した土地で消費して、消費した土地で廃棄する、ということが基本的な筋道になるのではないかと思います。その廃棄した場所から、その次の最終的なステップとして「一括処理」ということになると思います。放射性物質と言うのは、最終的な管理においては、全国的に散らばらせるよりも一か所に集めた方がいいということは確かでしょう。一〇万年に及ぶ管理で一括管理という方向は必要なのではないかと思うのですが、そこに行くまでにどれだけの山があるか、大変な問題と思わざるを得ません。

もう一つは都会の責任を問うことも考えるべきだと思います。これは先ほど言ったように「差別の構造」があり、豊かな都会と貧しい田舎、中心と周縁との対立状況が存在しています。その根幹は、中心に当たる都会には、差別構造、植民地意識があるのではないかという風に思うのです。これは文明論に及ぶ事柄ではないかと思います。私たちの現在の生き方そのものに対する鋭い批判的な目が必要であるということです。

最近ベストセラーになっている『人新世の「資本論」』（斎藤幸平著、集英社新書）では、資本主義体制そのものが現在の基本的な矛盾を作り出していると明確に述べています。そうしたことを含めて、現在の文明論をさまざまな立場から語る必要があるのではないか、語り続け、批判し続ける必要があるのではないかと思います。

（青森リンクステーションでの講演録　二〇二〇年十一月二二日）

第三部

軍事研究に関わること

日本において、そして戦後において、大学や研究機関における軍事研究はタブーであった。科学は人々の幸福と世界の平和に寄与すべきとして、日本学術会議が二度まで「軍事研究を行わない」声明を出し、政府もそれを容認して公的な制度としての軍事研究は行われてこなかったのだ。ところが、安倍内閣時代の二〇一五年に、防衛装備庁が「安全保障技術研究推進制度」と称して「将来の防衛装備品の開発に資するため」とする、軍事研究推進の委託研究制度が発足した。政府の機関が大っぴらに競争資金制度として軍事研究を標的としたのであった。以来、大学・公的研究機関・企業が、防衛予算からの資金提供を受けて軍事研究に勤しむようになった。そして、ロシアのウクライナ侵略を受けて日本の軍事予算は大幅に増加し、それに比例して軍事研究も拡大しつつある。私は、「学」セクターと「軍」セクターの共同研究という名の軍事研究が本格的に開始されたことへの抗議の意志を示すため、「軍学共同反対連絡会」を通じて反対運動を行ってきた。最近、とみに軍事研究が拡大されていることに対し、社会に警告を発する意味を込めてこれらの文章を執筆してきた。

1　「経済安保推進法」という名の囲い込み

拙速な法制化

正式名称「経済施策を一体的に講ずることによる安全保障の確保の推進に関する法律」を、通常「経済安保推進法」と呼んでいる。そもそも「経済安全保障」という言葉の定義がないのだが、先端技術や機密情報など、軍事利用される可能性の高い技術の保護を通じて、経済的な側面から国家の安全を守るという意味と考えられている。端的には、アメリカのトランプ前大統領のとき、重要資源や通信インフラなど経済活動の基幹を成す物質や技術の多くを、主敵とみなす中国に抑えられていることに気づき、国家の安全保障上の重大問題として大騒ぎになったことが発端である。軍事力を背景にした安全保障とともに、経済関係にからむ安全保障が国家の重要な施策と認識されたのである。

日本でも、二〇二一年十月の岸田内閣発足時に「経済安保」の重要性を掲げて経済安全保障担当大臣のポストを新設し、早くも本年二月には法案の閣議決定を行い、五月の国会で法案を成立させた。まさに泥縄と言うべき拙速さだが、この法案は多くの重要概念や基本的事項を「基本方針」と「基本指針」に項目のみを掲げるだけで、具体的中身は今後決定する政令・省令に委任するという箇所が一三八ヶ所にもなるという杜撰(ずさん)なものである。産業界や専門家などからの意見も聞かないまま法制化を急いだ結果で、政府に白紙委任せよと言っているのも同然である。八月に意見募集（パブリックコメント）があったのだが、果たしてどこまで私たちの意見が取り入れられるのか怪しいものと言わざるを得ない。

法律の概要

この法律は、

①特定重要物質（半導体・レアアース・海洋開発・資源など）の安定的な供給の確保
②基幹インフラ（資源・エネルギー・電気通信・輸送・電子情報システムなど）の重要設備の導入・維持・管理の安定性の確保
③先端的な特定重要技術（四領域二七分野）の研究開発の官民協力
④安全保障に関わる機微技術の特許非公開

という四つの柱から成り立っている。

（企業活動の統制）

①を通常サプライチェーン（供給源）の多元化・強靭（きょうじん）化と呼んでいるのだが、その実施のために国家が企業活動に介入することで自由貿易主義が阻害される危険性が指摘されている。②では企業活動のインフラ部分についての国家への報告義務が生じ、企業にとっては経済合理性

と矛盾する等、やはり企業活動の国家統制への道を拓く危険性がある。単純に言えば、①、②とも、安全保障を口実として産業界が国家に従属していく、あるいは産官癒着構造が強化されていくことになるのは明らかである。

(軍事研究の推進)

科学・技術政策と強く関係するのは③と④だ。まず、③では「特定重要技術」の研究開発を官民一体で進めるとして、研究開発担当大臣・政府関係者・研究者がプロジェクトごとに官民協議会を作り、さらに一〇〇名の研究者を集めたシンクタンクを作り、学位授与を可能とすることが検討されている。まさに研究者を囲い込む方策なのである。そして、重要技術育成プログラムのため「経済安保基金」として五〇〇〇億円を確保することになっている。現在の文科省が配分している、全分野の基礎研究のための科学研究費補助金が二五〇〇億円程度であることを考えれば、このような破格の基金を措置するのは、そこに軍事的な目論見がからんでいることは明らかだろう。

実際、重点領域として海洋、宇宙・航空、サイバー空間、バイオ技術を挙げ、具体的な技術分野としてドローン、AI、量子情報、半導体、極超音速機、ロボットなど二七分野を掲げており、いずれも軍事技術と関係深い分野である。軍事に応用される技術については、研究者に技術情報の守秘義務が課せられ、それを漏らした者には罰則が科せられることになっている。

④では、非公開（秘密）特許の道が開かれた。発明品の特許出願書類に「特定技術分野」と指定した発明は、原則として外国出願が禁止となり、内閣総理大臣が「保全指定」すると特許庁において出願公開がなされず、発明の開示禁止となるのである。そもそも、特許制度は、発明者が利益を独占できる保証を与えるとともに、発明の内容が公開されることが重要な目的である。発明品の技術は、通常一つのみでなく複数あり、各々の長短が明らかにされることによって技術が進歩する。そのために公開される必要があるのだ。軍事技術は当然秘密とされるから、非公開特許も軍事装備品開発を容易に進めることが目的である。むろん、秘密の特許内容を公開した場合には重い罰則が課せられることになっている。

以上のように、③、④の項目は軍事開発に軸足が置かれており、経済安保推進法が軍産学官複合体形成への先導役を担うと言って過言ではないと言える。

（「I女のしんぶん」二〇二二年十月十日）

2 日本学術会議の声明と学問の自由

二〇一七年三月に発出された日本学術会議の「軍事的安全保障研究に関する声明」には、「近年、再び学術と軍事が接近しつつある中、軍事的安全保障研究が学問の自由及び学術の健全な発展と緊張関係にある」という認識を表明している。防衛装備庁が創設した「安全保障技術研究推進制度」（以下、推進制度と記載する）が大学等の研究者への軍事的安全保障研究（軍事研究のことである）への誘いであり、これに安易に乗ることは学問の自由や学術の健全な発展の阻害になりかねないと懸念しているのである。かつての日本において、科学者コミュニティが戦争協力に奔走し、世界の平和や人類の幸福という科学研究の原点を踏み外したことへの反省が背景にあり、再び科学者コミュニティが同じ間違いを犯さないために、科学者としてどう行動すべきかを検討しようというわけである。

そこで「科学者コミュニティが追及すべきは、何よりも学術の健全な発展であり、それを通じて社会からの負託に応えることである」と定義している。これについては、日本天文学会の会員である諸君は同意するであろう。単に自分の楽しみのための科学研究は切手集めと同じ趣味の範疇(はんちゅう)に過ぎない。「社会からの負託に応える」ことを通じて研究活動が社会とつながるのであり、それはまた研究費が社会から保証されていることを当然だとする根拠にもなっている。

科学研究は個人に閉じた営みではなく社会的な行為であり、研究者は社会との接点を考えながら研究を行うことを求められているのである。

その観点から、学問の自由が持つ意味やその実体を考えねばならない。それを抜きにして学問の自由を安易に主張できないはずである。

そこで私が考える（「声明」の立場でもある）学問の自由とは、

・研究の自主性（誰にも強制されない）
・自律性（自分ですべてが決められる）
・研究成果の公開性（自分の決断で成果を自由に公開できる）

が保証されていることと定義できるだろう。研究という営み（教育も含まれる）が、研究者自身の自由意志で行われなければ学問の自由があると言えないからだ。

それとともに、もう一つ重要な条件がある。それは、

・研究の方向性や秘密性の保持をめぐって、政府（権力）による研究活動への介入がないこと

である。権力は、常に人を支配して従わせようという習性を持っている。自分の意のままに人

を統御することが、権力を行使しやすくする条件であり、また権力者が安心できることになるからだ。そのために、権力は研究がどのような方向性を持っているか（権力者である自分に歯向かわないか）を把握したいと考え、研究成果を占有して秘密にしてしまうこともある。

天文学研究にはそんな恐れはないと思うかもしれないが、軍事研究のテーマとして天文学の課題がいくつもあることを考えれば、杞憂ではない。軍事研究の中身は権力が最も欲しがるものであり、秘密のまま占有したいと望んでいる。自分の研究はそんなに大げさなものではないと言うなら、軍事研究に携わることを拒否すべきなのである。

権力者が学問を支配下におくために採る手段は、権力に迎合した研究を強いることで、最も手っ取り早い方法は研究費をコントロールすることである。研究者は研究費がなければ何もできないから、自然と権力者に尻尾を振って研究費にありつこうとする。しかしそこに学問の自由があると言えるだろうか？　面従腹背で、表向き権力者に協力する顔を見せて研究費をせしめ、実際には自分が進めたい研究をすればよいと思うかもしれないが（戦前の研究者たちが使った方法である）、研究者管理が容易になった現在では不可能だろう。むしろ、研究者が権力者の意図を忖度（そんたく）して、先取りしていくことになる方が可能性としては高い。研究ができない環境より、何であれ研究ができる環境を選ぶのが研究者であるからだ。学問の自由を守るのにはよほどの覚悟が必要なのである。

「学問の自由」は天賦の権利ではない

実は、第二次世界大戦終了まで、日本においては学問の自由はなかった。「国家の要請」を口実にして、政府（あるいは政府の心酔者）が学問研究に介入したり、あるいは研究者の学説に攻撃を加えたりして沈黙させ、学者の職から追放したことが度々あったように、学問の方向性への干渉は当然とされたからだ。科学や技術の分野では、富国強兵に寄与する分野が優遇されたし、戦争が始まってからは戦時動員で軍事研究を行うことが自明とされ、研究者も唯々諾々として軍事研究に協力していった。戦後になって、どんな研究者からも軍事協力をしたことを反省する言葉を聞かないのは、協力することを当然として疑問すら感じなかったためと思われる。それほど軍国主義の教育が徹底しており、学問の自由はなかったと言えるだろう。

その反省もあって、戦後の新しい日本国憲法の第二十三条に「学問の自由は、これを保障する」と書き込まれることになった。この条項は「大学の自治の保障」とセットになっていると考えるべきで、学問の方向性は個人の意思のみではなく、大学としても自主的・自律的に決定できねばならないことを含意している。

この日本国憲法には、第十九条で思想及び良心の自由、第二十条で信教の自由、第二十一条で言論、出版その他一切の表現の自由、第二十二条で居住、移転及び職業選択の自由、をそれぞれ保障しているが、それらの条項に先立つ第十二条に、この憲法が国民に保障する自由及び権利は、国民の不断の努力によつて、これを保持しなければならない。又、国民は、これを濫用してはならないのであつて、常に公共の福祉のためにこれを利用する責任を負ふ。

と宣せられていることに留意しなければならない。「学問の自由」も含めてさまざまな自由は、天賦の権利ではなく、国民の努力・節度・責任があってこその権利であることを強調しているのである。自由の権利を保持する努力を尽くし、言論の自由をヘイトスピーチの自由などで濫用せず、研究者は学問の自由を人々の幸福のために使う責任を負っているということなのだ。そのことを考えたら、学問の自由を口実にして軍事研究を行うことは、自由の権利の蹂躙(じゅうりん)ではないだろうか。

私たちは、この憲法第十二条の言うところをしっかり噛み締めなければならないと思う。

「安全保障技術研究推進制度」の問題点

この制度について詳しい紹介は不要だろう。要するに、「防衛分野での将来における研究開発に資することを期待し、先進的な民生技術についての基礎技術を公募・委託する」との「制度の趣旨」がすべてを語っている。防衛装備庁としては、将来の軍事装備品の開発を行うため、出発の段階でのアイデアや提案を求めているのである。だから、研究者にとって自分の提案がどのように軍事装備品として応用されていくかはわからない。善なる想いで提案したのだが、自分の意向とは関係なく、戦争に使われるという悪なる展開となってしまう可能性が高いのである。

といっても、必ずしもすべてが採用されるわけではない。現実性がなくアイデア倒れになったり、経費がかかり過ぎて実用に適さなかったり、いざ本格的に開発しても実際に機能しなかったり、というようなものがあるからだ。その上、まだ現在の段階では研究者の意向を汲み取って、軍事装備品への転用は行われないだろう。軍事研究とは関係しないという実績を積んで、研究者の警戒を解く必要があるからだ。そして、この制度が定着して、研究者の多くが応募することに慣れ、この資金に頼ることが当たり前になった段階となると、状況は変わってくるだろう。このことは、公開原則と秘密保護法との関係などについても言える。

応募している研究者は、先の「趣旨」に書かれている「先進的な民生技術についての基礎技術を公募・委託する」との文言を言い訳に使っている。民生技術の開発なのだからいいではないか、というわけだ。しかし、防衛省がわざわざ学術振興会の科研費と同じ競争的資金制度を作るはずがない、何か裏があるのではないか、と考えるのが常識というものである。そもそも、各省庁は、その省庁に課せられた任務に適合した項目について予算を組み執行することが法律によって定められている。防衛省が、純粋の基礎研究のための経費を予算化することはあり得ないので、そこに別の意図（将来の軍事装備品の開発に活かすため＝軍事的安全保障研究推進のため＝軍事研究のため）があると考えるのが当然だろう。

また、防衛装備庁はこの推進制度の二〇一七年度からの公募要領に「本制度のポイント」として、

・受託者による研究成果の公表を制限することはありません
・特定秘密を始めとする秘密を受託者に提供することはありません
・研究成果を特定秘密を始めとする秘密に指定することはありません
・プログラムオフィサーが研究内容に介入することはありません

という四項目の「ありません」事項を明記するようになった。研究者がこの推進制度に抱く不安要因である、成果の公開の自由の問題、特定秘密保護法との関連、ＰＯ（プログラムオフィサー）の研究への介入の懸念について、装備庁として「心配ありませんよ」と呼びかけているのである。わざわざこのような問題について、弁解じみた文言を並べるのはかえって胡散臭い証拠なのだが、そのまま鵜呑みにする大学や研究者もいる（というより、何やら怪しいが、そのまま信用したふりをして、こう書かれているのだからと口実に使っているのである）。

再度言うのだが、制度が定着するまで防衛装備庁は、公開を保証し（公開前には研究者はＰＯに必ず届け出なければならないのだが）、秘密保護法には関係しないと言い（秘密保護指定を行う権限を

持つ防衛省だから、いつ何時それを反故にするかわからない)、POは干渉を控える(ただ研究者とPOの二人だけの関係だから、どういう形になるかわからない)、という作戦に出るだろう。

しかし、制度が定着して研究者がこの資金に頼らざるを得ない状況になれば、制度の運用は変わっていくことは確かである。軍事装備品の開発に絡むと、軍事機密となる可能性が高く、当然自由な研究発表は許されなくなり、秘密保護法の縛りが入ってくる。POもそのような方向で研究者に圧力をかけるようになっていくだろう。

実際、公募要領には「防衛装備庁の担当者として、POが研究の進捗管理を実施しますので、協力をお願いします。POが行う進捗管理は、研究の円滑な実施の観点から、必要に応じ、研究計画や研究内容について調整、助言又は指導を行うものとしています」と書かれており、POがいつでも研究内容に介入できる余地を残しているのである。

そのような危険な事態になれば、この制度から手を引けばいいと思っているかもしれない。しかし、この制度に研究資金を頼ることが当たり前になっていると、そうはいかない。一気に研究費のない状態に戻ることができないからだ。それよりも、そのような状況になっておれば、この資金は当然当てにできるものと思い、むしろ軍事研究に深入りしていくことになるだろう。より効率的な軍事装備品の開発という思考になっていくと予想される。さて、そのような時代の研究者の意識は、いったいどうなるであろうか？　学問の原点を忘れ、もっぱら軍事開発を考えるようになってしまうのではないかと思う。

ここで強調したいのは、まだ大学等における軍事研究が本格化する前に、自分の科学研究の原点を再確認し、軍事研究への誘惑を断つ覚悟をしておくことが大切である、ということだ。

「学問の自由」の権利を損ねないために

先に見たように、憲法第十二条が保証する自由や権利には、

・不断の努力によって保持すべきこと
・濫用してはならないこと
・公共の福祉のために利用する責任を負うこと

が伴うことが述べられている。天賦の権利ではなく、野放図に使うべきものではなく、人々の幸福のために利用する責任がある、というわけだ。

「学問の自由」にもこのことが求められている。言い換えると、軍事的安全保障研究（軍事研究）に対して、「学問の自由」論で安易にこれを許容すると、むしろ、

・研究の自主性・自律性・公開性が保証されなくならないか
・政府による研究活動への介入を招く可能性はないか

をじっくり吟味しなければならない。「推進制度の問題点」に書いたように、防衛装備庁が求めているのは、将来軍事装備品に適用できる基礎技術である。それこそが防衛省の目的に合致した予算設定なのだから。

現実に研究成果がそのような目的のために使われるとなれば、まず公開の自由が保証されなくなるだろう。軍事装備には技術のノウハウの秘密があることを認めさせられるからだ。また、自分が考案した研究結果がどのように使われるかを、研究者が自律的に決めることもできなくなる。それによって悲惨な結果がもたらされた場合、それは「使った軍人が悪い」ので、「考案した自分には罪はない」と澄ましておれるだろうか。すくなくとも、アイデアを提案した研究者には道義的責任は生ずるであろうし、その責任を自覚して、そのような使われ方をして欲しくないと言い続けるのが科学者としての社会的責任であるだろう。「学問の自由」は、「戦争に手を貸す自由」と結びついてはならないのである。

「政府による研究活動への介入」とは、直接的には防衛装備庁の職員（おそらく技術者）であるPOによる研究活動への介入のことを意味する。先に書いたように、POは「研究計画や研究内容について調整、助言又は指導を行う」としており、研究活動への介入の可能性を明記している。これによって、研究の自主性が阻害され、方向性が曲げられることになる。また、委託研究が終わっても「フォローアップ事業」への協力が条件として求められており、まったく自由な状況になるわけではない。そのような拘束される（干渉を受ける）余地を残していて、果たして「学問の自由」が満たされるのであろうか。

産学共同だって、公開条件を厳しくし、POがついて研究に干渉することがあるから、そう目くじらを立てることはない、という意見もあるだろう。しかし、そのような産学共同は健全ではないと自覚しておくべきだと思う。公開条件を制限され、ちゃんとした研究論文の発表が遅らされて記者発表の方が先になったり、簡単に追試できない短い論文でお茶を濁すという現在の産学共同の状況は、学問の論理とは背馳している。

とはいえ、先に特許権を押さえておきたいとか、容易に追随を許さず商品化の独占状態を保っておきたいという企業側の要求も無視できない。そのような利益を求めて産学共同の研究経費を企業が拠出するのだから、学問の論理だけを押し通すことは無理だろう。POが特許を取れるための条件を出して、研究内容や研究計画に介入してくることを一概に拒否できないことも理解できる。

しかし、産学共同は基本的に特許（財産権）の取得が目標であり、そのために成果の公表はどの程度まで制限されるか（特許が取れると、むしろ全面公開が推奨される）について企業側と研究者は交渉できるし、契約書にも記述できる。交渉によって契約内容が詰められるというのは、軍学共同と産学共同の決定的に異なる側面である。この点を意識しておかねばならない。

ここで縷々書いたことは、安易な「学問の自由」の主張が、結果的に「学問の自由」を損ねることになるということである。そうならないよう心しておかねばならないことがあり、研究者個人として、そして科学コミュニティとしての倫理規範を以下で考えてみたい。

研究者個人としての自己点検

私がまず最初に科学研究者に求めたい倫理規範として、科学者は社会的立場から言えばエリートであり、ノーブレスオブリージ（恵まれた地位に伴う道徳的義務）が求められているということである。言い換えれば、社会から自由度の高い地位が保証されている（その活動に税金が支払われている）科学者は、社会から負託された社会的責任を負っているということだ。これをアカウンタビリティと呼ぶことがあるが、私は社会と科学者が結ぶ「暗黙の倫理契約」であると思っている。それがあるからこそ、社会は科学者に誠実に職務の責任を取って欲しいと求めることができるし、科学者は社会に対して研究予算の増加を求めることができる。このような互恵関係の中で科学者は生きていることを忘れてはならない。

そのような視点から「軍事的安全保障研究」の誘いを前にして、学問研究に従事する科学者の立場の自分に、以下のような問いかけをしてみることが必要なのではないだろうか。

(1) 科学研究者の原点として、誰のための、何のための学問研究であるか、を常に問いかけているか？

むろん、個人としての好奇心や探究心が背景にあり、向学心を満たすために勉強を続けて研究者としての道に入った。しかし、研究は個人の営みに閉じず、社会と結びついている。世界の破壊や戦争のための学問ではなく、人類の幸福や世界の平和につながるものでありたい、そう願っているのではないだろうか。軍事研究に携わることが学問研究を志す原点からずれていないか、それを点検すべきではないか。

(2) 自分が現に行っていること、行おうとしていることが、そのような原点を踏み外していないかの点検を行っているか?

自分の好奇心の赴くままの研究活動が、結局特定の国家のためのものであったり、軍事力の増強のために力添えするものであったり、単に研究費を稼ぐためのものであったりしていないか、をじっくり考えることである。自分の好奇心だけのためであったら切手集めと同じである。むしろ切手集めの方が人間に被害を与える可能性が少ないだけいいのかもしれない。自分の研究がいささかでも社会と関連するからこそ社会から研究資金を得られていることを考えれば、社会に危害を与えるような軍事研究に堕していないかをチェックすることは、科学研究者としての義務であると言えよう。

(3) その上で、自分の研究行為が、他の国や、他の大学や、他の研究者がやっているから自

分もするのではなく、自分としての選択の結果であることを常に確認しているか？

私たちは、ついみんながやっているから自分もやってよい、どうせ他の誰かがやるのだから自分がやっても同じことだ、という言い訳をして、悪であるとわかっていても手を染めることがある。軍事研究は悪であるとわかっていても、研究費を稼ぐためには仕方がないという者もいるだろう。しかし、それは個人の逃げ口上に止まらず、軍事研究の結果として多大な被害を人に与えるかもしれないと、想いを広げるべきである。それこそが社会とともに生きる人間の義務なのではないだろうか。

学問の自由との関係でいえば、自分の研究が自主性・自律性・公開性を担保するものであり、政府の介入を招かないこと、この二つの観点を幅広く検討することが科学者に求められていると言える。

科学者コミュニティとしての議論の必要性

個人だけの倫理的点検は不十分であることは自明である。人間は、一般に自分のことになると判断が甘くなり、口先だけの自己主張に留まることが多いからだ。また、すべてを万全に考えたか自信がなく、そのために責任を持って主張できない（しない）ということにもなる。しかも、倫理的考察は個人に閉じるものではなく、多くの人間が共有し、互いに認め合う規範となることによって、広い場で共通認識として通用する。倫理は法ではなく、それぞれの人間が承認し受け入れ共同で守る規範となることで、社会的常識となるからだ。

科学研究者は、一般に何らかのアカデミアの組織に属し、科学コミュニティを形成している。むろん、同じ分野の人間が少なく、共通の話題に欠けるような場合もあるが、軍事的安全保障研究にどう対応するかというようなテーマであれば、科学コミュニティとして議論は成り立つだろう。というより、共通認識を醸成するためにも、集団的な議論の場を設定することが望ましい。さまざまな意見を聞いて自分の考え方を見直す機会とすることができるし、幅広い観点からの意見を知って、よい知恵が見つかるということもあるからだ。軍事研究のことのみならず、研究費不足の問題や大学改革の進め方などの議論を通して、大学の置かれた状況を把握し、研究者同士が互いに助け合う方策が見つかるかもしれない。孤立した科学者の集団では競争意識ばかりが強まり、結局分断された科学コミュニティでしかなくなってしまう。やはり、科学コミュニティとして、社会から負託された科学研究者としての社会的責任を客観的に点検することが大事なのではないだろうか。

特に「軍事的安全保障研究」制度についての組織としての方針は、京大や名大が「軍事研究を行わないことを決めた」というような報道がなされることで注視され、社会的影響も大きい。そのような組織の一員として、自分もしかるべき意見を出すことはアカデミアの社会的義務と言える。実際、大学からの防衛装備庁の推進制度への応募が減少しているのは、大学がこれに応募しないと決め、それを広く公表したことが影響していると思われる。ＪＡＸＡ（宇宙航空研究開発機構）や物質・材料研究機構などの研究開発法人が積極的に軍事研究に乗り出していることを見れば、こんなことでいいのだろうか、日本の学問の将来を危機に陥れるのではないかと危惧する。

つまり、大学や公的研究機関が軍事研究に対してどのような態度を採っているかを見ることによって、それらの組織の見識や研究への矜持を知ることができる。言い換えれば、大学が組織としてきちんとした方針を公表することは、社会から負託された責務についての説明責任を果たしている証しとも言える。

現在、大学や研究機関に対する社会的圧力が強まっている。具体的には、科研費のテーマに対する攻撃（日本の歴史の汚点を調査することが非難の対象になっている）、国立の機関は国の意向に従うべきとの圧力（国旗・日の丸問題に止まらず、教育内容まで干渉されている）、予算を通じての文科省の「指導」（恣意的な評価に基づくランク分けが予算配分に反映され、文科省に従わなければやっていけない状況にある）などの問題がある。それらのみならず、社会（政府、文科省、他大学、市民、特定の集団など）からの、批判・意見・評価・恫喝・誘惑・同調圧力・忖度の誘い・根拠なき告発などが寄せられる。これらの外圧に黙って従ったり右往左往するのではなく、組織としての異論・反論を含めた共通見解を持っておくことが肝要である。それは「公共財としての知」を創造・継承する大学や研究機関の社会的任務であり、それが社会に芯を通すことになると信じている。

そのような組織の構成員が、個人の「学問の自由」だけを主張してバラバラであれば、組織としての見解や見識が示せないままになってしまうだろう。その結果として、大学等の研究機関が大政翼賛の組織となり、むしろ「学問の自由」の破壊を招いてしまうことになってしまう。大学等の科学コミュニティにおいては、

・どのように組織として議論したか
・どのような方針にしたのか
・個々の研究者としてどう行動すべきか

を常に点検することが求められている。

再度繰り返すが、「学問の自由」は天授（神授）の権利ではなく、個人・科学者集団・大学等の組織それぞれが、自覚した決意と行動によって守り実践する意思がなければ、取り崩されていくものなのである。

（「天文月報」二〇一九年一月号）

3　タガが外れた日本の軍拡路線 ――加速する軍事研究への動員

二〇二二年十二月一六日に安全保障関連の三文書が閣議決定されたのだが、実はそれ以前に、マスコミが、

①二〇二七年度の防衛予算をGDP比2%
②二〇二三～二七年度の五年間の防衛費総額を四三兆円
③「反撃能力（敵基地攻撃能力）」の保有
④一〇年後までに早期・遠方で侵攻を阻止・排除する防衛体制の確立

という日本の防衛政策変更の重大決定を、あたかも既定路線であるかのように報道していた。国会審議もなく、閣議決定で済ませるという狡猾な手法は安倍元首相譲りだが、それに加えて優柔不断なふりをしながら、重要事項を次々と小出しにして既成事実化させる岸田文雄の巧妙さに、マスコミも私たちも十分警戒しなければならない。

実際、既に十一月二二日の「国力としての防衛力を総合的に考える有識者会議」の報告書において、防衛省が提起していた「防衛力の抜本的強化の七つの柱」を防衛戦略の基本と位置づけ、それを実現していくために右に書いた①～④の事項を安全保障戦略として推進する、という筋書きが示されていた。そうなると後は予算の手当の問題に移り、国民負担については後回

しにすることで当面を糊塗して、軍拡路線を国策として定着させることになった。その背後にはウクライナ情勢が大きな影を落とし、軍事的な抑止力の強化を求める国民の声がある。それを巧みに取り込んで軍事化路線を強化する流れに対して、私たちはどのように戦っていくか、いま正念場にあると言える。

本論では、安全保障三文書における軍事化路線について、私の観点から重要だと思った項目を要約する。まず(1)「国家安全保障戦略」について詳しくのべ、そこに含まれない項目についてのみ(2)「国家防衛戦略」と(3)「防衛力整備計画」で触れる。続いて現在進行中の(4)軍事研究の実態をまとめ、軍事研究の状況が今後大きく変化するであろうことを述べる。

なお、政治学を専攻したわけでもないし、軍事アナリストでもない私だから、三文書の読み方は極めて偏ったものであることを予めお断わりしておく。

(1)「国家安全保障戦略」を読む

(a)「Ⅲ 我が国の安全保障に関する基本的な原則」

五つの原則の第三において「平和国家として、専守防衛に徹し、他国に脅威を与えるような軍事大国とはならず、非核三原則を堅持するとの基本方針は今後も変わらない」と述べている。以下の文書で、「反撃(敵基地攻撃)能力」の保有を謳って専守防衛から逸脱し、防衛予算が二〇二七年度には世界第三位の軍事大国となることを宣言しているというのに、なぜこうも軽々しく厚顔に語れるのであろうか。どうやら、「Ⅵ我が国が優先する戦略的なアプローチ」の「2－⑵我が国の防衛体制の強化」に書いているように、二〇一四年七月の「武力行使に対する（新）三要件」を定めたことにあるらしい。それは、「日本に対する武力攻撃が発生、又は同盟国への武力攻撃が発生して、日本の存立が脅かされ、国民の幸福追求権が根底から覆される明白な危険がある」との要件下で、「これを排除し、国民を守るための適当な手段がない」場合に「必要最小限の実力行使に留まる」との内容である。つまり、政府は「スタンド・オフ防衛能力（相手側のミサイルが届かない地点からのミサイル発射能力）を活用した反撃能力保有の必要性」を認めてはいるが、そこからの先制攻撃を考えているわけではない、だからその限りにおいては「専守防衛」であって、反撃能力を持ったからといって「軍事大国になったわけではない」との立場である。しかし反撃能力を持てば、やがて「座して破滅を求めず」と、敵を先に叩く先制攻撃能力と化するのは歴史の必然である。

(b) 軍備管理・軍縮・不拡散

続いて、「軍備管理・軍縮・不拡散の取り組みを一層強化する」（Ⅵ2－⑴エ）とあり、「唯一の戦争被爆国として「核兵器のない世界」の実現に向けた国際的な取組を主導する」と殊勝に述べている。ところが、その取組とは「核兵器不拡散条約（NPT）を礎石とする国際的な核軍縮・不拡散体制を維持・強化し、現実の国際的な安全保障上の課題に適切に対処しつつ、実践的・現実的な取組を着実に進める」のだから、核保有国と非保有国の非対称を公認した核抑止力論に依拠した立場の表明でしかない。日本が中心となってこれまで何度も国連総会で一般的な核軍縮の決議を挙げてきたが、その活動を自画自賛しているのである。当然ながら核兵器禁止条約（TPNW）には一切の言及はなく、これでは核体制の現状維持から一歩も出ず、核兵器廃絶に永遠に近づくことはないだろう。

(c) 研究開発の強化

「防衛力の抜本的強化を補完する取組」として「研究開発、公共インフラ整備、サイバー安全保障、（特に同志国との）国際協力」の四分野を挙げている（Ⅵ2―(2)イ）。それら四つのうち、研究開発について重点的に述べておこう。「防衛生産・技術基盤の強化」のためとして、「官民の先端技術研究の成果の防衛装備品の研究開発等への積極的な活用、新たな防衛装備品の研究開発のための態勢の強化等を進める」とあり、「技術力の向上と研究開発成果の安全保障分野での積極的な活用のための官民の連携の強化」によって防衛装備品の研究開発に本腰を入れる構えである。具体的には、「科学技術の研究開発の推進のため、当該事業を実施していくための政府横断的な仕組みを創設する」（Ⅵ2―(4)エ）と書いている。研究開発を防衛省が牽引するとの宣言である。

続いて「経済安全保障重要技術育成プログラムを含む政府全体の研究開発に関する資金及びその成果の安全保障分野への積極的な活用を進める」とあり、経済安全保障をテコにして「広くアカデミアを含む最先端の研究者の参画促進等に取り組む」と研究者動員を画している。要するに、安全保障分野における政府と企業と学術界との連携の強化、官民の情報共有の促進・連携の強化等、研究開発力の強化が看板である。

その際に何度も言及されるのが「サイバー空間、海洋・宇宙空間、電磁波領域」で、今後の兵器体系の開発目標がこれらの分野に特化しつつあり、自衛隊もこれらの領域横断作戦能力を保有することを目標としている。それが、自衛力強化の第一にスタンド・オフ防衛能力の保持を掲げ、次に有人アセットを加え、さらに無人アセット防衛能力を強化し、主要な防衛施設の強靭化を図るという防衛体制の構築に繋がっている。そして、海上においては海上保安庁との、宇宙においては宇宙航空研究開発機構（JAXA）との、連携の強化という方針を掲げている。海上保安庁やJAXAという他省庁の機関を安全保障政策の一翼に組み入れようとしているわけだ。

(d) 安全保障戦略の「弱点」

その安全保障戦略にいくつかの弱点がある。その第一は、「食料安全保障上のリスクが顕在している中、我が国の食料供給の構造を転換していくこと等が重要」（Ⅵ2−(4)ケ）と日本の食料の自給率が異常に少ないことに触れていることだ。しかし、「国民への安定的な食料供給を確保し、我が国の食料安全保障の強化を図る」とあるのみで、それ以上言及していない。

二つ目の弱点は、日本の海岸線に林立する原子力発電所が敵の攻撃目標になり、日本の防衛上の弱点になるということが今や誰の目にも明らかだが、それを安全保障戦略にどう組み入れるか検討していないことである。そこでは、「原子力発電所等の重要な生活関連施設の安全確保対策」（Ⅵ2―⑴オ）と言うのみで（原発は「生活関連施設」である）、それ以上、具体的な方策は何も述べていない。そもそも打つべき手立てがないのであろう。

もう一つの弱点は、「ハラスメントを一切許容しない組織環境や女性隊員が更に活躍できる環境を整備する」（Ⅵ2―⑵オ）と書いていることである。自衛隊は長年人員不足に悩んでおり、無人化した装備も増えたことで女性隊員を多く採用することに力を入れている。ところが、最近勇気ある女性隊員によって自衛隊内でのセクハラ告発がなされた。自衛隊は大急ぎで関係者を処分して火消しに大忙しであった。この「国家安全保障戦略」では、まだ一般的表現に押し留めているが、以下の「国家防衛戦略」「防衛力整備計画」では、さらに具体的に女性隊員に対する処遇改善を約束している。

これらの弱点は、日本の防衛戦略がどこから崩れるかを暗示していると思うのだがどうだろうか。

(2)「国家防衛戦略」を読む

(a)「防衛目標へのアプローチ」

従来の「防衛計画の大綱」が「自衛隊を中核とした防衛力の整備、維持及び運用の基本的指針」であったのに代えて、「我が国の防衛目標、防衛目標を達成するためのアプローチ及びその手段を包括的に示すために「国家防衛戦略」を策定する」としたそうだ。「防衛力整備計画」とともに、「防衛力の抜本的強化とそれを裏付ける防衛力整備の水準についての方針は、戦後の防衛政策の大きな転換点となるものである」と自負の念が露骨である。

防衛目標を実現するためのアプローチとして、第一に国家の防衛力の抜本的な強化、第二に同盟国の米国との協力の一層の強化、第三に同志国との連携強化、の三点を挙げている。

第一の国家の防衛力では、自衛隊が出した七つの柱を要約して、

①スタンド・オフ防衛と総合防空ミサイル防衛
②無人アセット防衛、領域横断作戦、指揮統制・情報関連
③機動展開・国民保護、持続性・強靭性

という三段構えとなっている。要するに、①はミサイル合戦、②は無人化・情報戦、③は機動

戦という段取りらしい。戦争の形態が大きく異なりつつあることの先ぶれであろうか。そのため「民生技術の軍事開発への取り込みを図り」、さらに「スタートアップ等各種企業、各種研究機関の研究開発の成果を早期の実装化につなげていく取組を実施」とある。「民事から軍事」への技術転換を組織的に行うというわけだ。

「同志国」とは聞き慣れない用語だが、ここで挙げられている国名を列挙すると、オーストラリア、インドおよび太平洋諸国（島嶼国）、英仏独伊などNATOおよびEU諸国、カナダ・ニュージーランド、北欧・バルト諸国、チェコ・ポーランド等の中東欧諸国、東南アジア諸国、モンゴル、中央アジア諸国、中東諸国、アフリカ諸国、と、ほぼ全世界である。

中国とは「建設的かつ安定的な関係の構築に向けて、日中安保対話を含む多層的な対話や交流を促進していく」とあり、ロシアとは「ウクライナ侵略を最大限非難しつつ、G7を始めとした国際社会と緊密に連携し、適切に対応する」とあって、外交関係を通じて対立・紛争は回避できそうで、あえて軍事強化の必要がないように見える（ここで一言も述べていないのは北朝鮮のみである）。「同志国」という使い慣れない言葉を使ったために、欲張って世界中の国々を「同志国」に含めてしまったのだ。

(b) 自衛隊が抱える「弱点」

防衛戦略において、防衛産業の技術基盤の強化を図ることが重要なのだが、「防衛産業のコスト管理や品質管理に関する取組を適正に評価し、適正な利益を確保するための新たな利益率の算定方式を導入することで、事業の魅力化を図るとともに、既存のサプライチェーンの維持・強化と新規参入促進を推進する」（Ⅶ1）との一文が付け加えられている。その背景には、ここ数年、コマツ製作所や三井造船など、軍事生産から撤退を宣言する企業が相次いでおり、その主たる理由が「儲けが少ないこと」であると報道されている。企業として軍事生産に乗り出してはみたものの、民事生産への応用ができない上に、防衛省の査定が厳しくて利益が上げられないという不満が強いのだ。他方で、ムダとも言える装備品をアメリカから言いなりの金額で爆買いをしている（FMS）。そんな現状を見れば、企業のほうも軍事生産に協力するという気が失せて、撤退しようとしているのだろう。これでは防衛生産もままならない。その弱点に気づいた防衛省は、わざわざ右のような文章を明示して、産業界の協力を得ようとしているのである。加えて、「防衛装備品移転三原則」の禁止事項を弱め、武器輸出を認め、武器開発の国際共同研究によって企業の儲けを保証しようとしている。

「防衛力整備計画」では、「防衛事業は高度な要求性能や保全措置への対応に多大な経営資源の投入を必要とする一方で、収益性は調達制度上の水準より低く、現状では、販路が自衛隊に限られ成長が期待されないなどの産業としての魅力に乏しいこと、サプライチェーン上のリスクやサイバー攻撃といった様々なリスクが顕在化しているなど、多様な課題を抱えている」（Ⅸ1）と現状に踏み込んで分析して、撤退する防衛産業に「理解」を示している。よほど問題を深刻に受け取っているのである。

そこで「ＦＭＳで調達する装備品についても、国内企業の参画を促進するための取組を行う」と約束している。さて、どうなるだろうか。私たちは、軍需産業は防衛省に群がって大儲けしていると思い込んでいるが、どうもそうでない（分野もある）らしい。今後は逆に、防衛産業を甘やかすためにムダな買い物をするのだろうか。

最後に、「ハラスメントは人の組織である自衛隊の根幹を揺るがすもの」であるが故に「ハラスメントを一切許容しない組織環境を構築する」と、言い切っている。そして「自衛隊員が育児、出産、介護といったライフイベントを迎える中にあっても、遺憾なくその能力を発揮できる組織環境づくりにも配慮し、自衛隊員としてのライフサイクルに着目した大胆な施策を講じる」とあって必死である。「防衛力整備計画」ではさらに踏み込んで、「全ての自衛隊員が能力を発揮できる環境を整備する」、そして「自衛隊員へのリスキリング（再教育）を含め、採用から始まるライフサイクル全般に着目した施策を総合的に論じる」と、自衛隊の人材基盤を強化する取組を縷々語っている。

(3)「防衛力整備計画」を読む

(a)「装備計画」

この計画書では、五年後の二〇二七年、そして一〇年後の二〇三二年までの防衛力目標と達成時期、「自衛隊が策定した七つの柱」に基づく主要事業における装備計画と、おおむね一〇年後に目指す「将来体制」をまとめている。防衛省としては、いまこそ一気に軍事拡張を実現できる好機として、あれもこれもと装備計画に盛り込み、脅威を過大に煽って無用なシステムを開発し調達しようとしているのだ。膨大なムダをし続けていくのかと、何だか空しくなる。

例えば、計画書に頻繁に出て来るのが「極超音速滑空兵器(HGV)」で、音速の五倍もの高速で比較的低空を飛行するのでレーダー捕捉が難しく、ミサイルで撃ち落とすことが困難という新兵器のことだ。HGVという単語だけで十回近くも出て来る。これの探知・追尾のために大型レーダーの整備・能力向上、新型レーダー導入、誘導弾システム、弾道迎撃ミサイルなど、多くの対抗兵器の開発も行われる。新兵器の登場は、防衛省や軍需産業が予算増を量る好機なのである。実際、「研究を推進し二〇三一年度までの事業完了を目指すとともに、その派生型の開発についても検討する」とあるのだが、どうなると「事業完了」が達成され、「派生型」が何を指すのかさっぱりわからない。しかしその方が予算請求にはもってこいなのである。同様な魂胆もあるのか、「レールガンに関する研究を継続する」と打ち出し、「欺瞞装置技術に関する研究を実施する」と、謀略兵器にも手を染めると記している。兵器となれば何でもありなのである。

(b)「自衛隊の政策立案機能の強化等」

「国家防衛戦略」の「Ⅷ2防衛技術基盤の強化」で、「防衛装備庁の研究開発関連組織のスクラップ・アンド・ビルドにより、防衛イノベーションにつながる装備品を生み出すための新たな研究機関を創設する」と書かれていたが、「防衛力整備計画」では一歩踏み込んで「戦略的な観点から総合的に検討・推進する態勢を強化」し、さらに「防衛研究所を中心とする防衛省・自衛隊の研究体制を見直し・強化し、知的基盤としての機能を強化する」とある。どうやら本気で組織替えを考えているらしい。ここでは「防衛装備庁の研究開発関連組織のスクラップ・アンド・ビルドにより、二〇二四年度以降に新たな研究開発機関を防衛装備庁に創設する」とはっきりと述べているからだ。さらに「開発段階から装備移転を見越した装備品の開発や、自衛隊独自仕様の見直しを推進する」とあり、軍事研究の開始から現実の装備品製作まで、一貫した研究開発を行うことを構想しているようである。

(4) 進みゆく軍事研究

上記、安全保障三文書では、「研究開発」という名目で軍事研究のことがかなり踏み込んで書かれている。とはいえ、私は、現状は軍事研究（＝軍学共同）の動きが分岐点に差し掛かろうとしているところと考えている。今後、「学」はそれなりに「軍」との相対的独立性を保っていくのか、逆に「学」が「軍」に取り込まれてしまうのか、予断を許さない状態にあるからだ。「学」が「軍」の軍門に下ってしまうと、現在ですら日本の学術レベルは世界の後塵を拝する状況になりつつあるのだから、日本の学術の未来は惨憺たるものとなるだろう。以下では、現在進みつつある軍事研究の実態を見て、今後について考える材料としたい。

(a) 安全保障技術研究推進制度

二〇一五年に創設された防衛装備庁の「安全保障技術研究推進制度」は、戦後の日本で初めて公的に軍事研究を公認・推奨する委託研究制度である。以来、約八年が経ち、予算も三億円から一一〇億円程度、一件当たり五年間で二〇億円・三年間で約一億円・三年間で約三〇〇〇万円の三種のタイプの研究費の支給という形式で継続している。この制度の一番の特徴は、応募責任者が「研究機関の長」であること、つまり組織を挙げての応募でなければならないことだ。これまで、さまざまな批判を浴びたことから、研究発表は自由とか、研究内容は秘密保護法の適用を受けないことにし、基礎研究であることを強調している（基礎研究であれば軍事研究ではないこと意味するわけではない）。

大学からの応募は初年度に五八件もあったのだが、年々減少し、近年は一〇件そこそこで推移している（※二〇二三年度の募集では、大学から二二件の応募があり、増加に転じている）。大学がこぞって応募する事態になっていないのだ。事実、多数の大学が軍事研究には協力しないと宣言し、この制度には応募しないと誓約している。これには、日本学術会議が二〇一七年三月に出した「軍事的安全保障研究に関する声明」が背景にある。この声明は一九五〇年の「戦争を目的とする科学の研究には絶対従わない決意の表明（声明）」、一九六七年の「軍事目的のための科学研究を行わない声明」を継承するとして出されたもので、防衛省の安全保障技術研究推進制度は、政府による研究への介入が著しく、学問の自由が侵される危険があって問題が多く、科学者の自主性・自律性、研究成果の公開性の観点から慎重に対応すべき、と述べている。良識ある大学人はこの声明を尊重して、防衛装備庁の制度に安易に乗ることを控えてきたのだ。菅義偉（すがよしひで）前首相による日本学術会議会員候補者六名の任命拒否の真意は、日本学術会議が軍事研究に協力しない姿勢を明らかにしたことへの懲罰であり、さらに政府に従順な日本学術会議へ改変する前触れであると捉えることができる。その意味では、今問題になっている政府による日本学術会議の改組要求は、科学者の軍事研究への動員を強化することとも連関しているのである。

安全保障技術研究推進制度は八年を経て、これまで総計一三九件の課題が採択されたが、顕著な傾向をはっきり見ることができる。何回も採択されている常連の大学・研究機関・企業が現れ、常習化しつつあることだ。

大学（採択件数は全一三九件のうち二二件、以下同様）では、岡山大学・大分大学・大阪市立大学・豊橋技術科学大がそれぞれ二件採択されており、これまで一〇〇以上もの大学が応募していることを考えれば目立っている。

この常習化の傾向がはっきり見えるのは国立研究開発法人に属する研究機関（採択件数五一件）で、物質・材料研究機構が一五件、宇宙航空研究開発機構九件、理化学研究所が五件、海洋研究開発機構が四件と、これらの機関ではあたかも軍事研究を行うことを奨励しているかのように見える。これらは、もっぱらプロジェクト研究を行いつつ、基礎研究と名づけられれば将来どのような目的のために使われるかには頓着せずに、「国策だから」と研究を続けることが当然となっているようだ。後に述べるように、今後軍事研究の主力は国立研究開発法人となっていくことになりそうである。

一方、企業では二つのタイプにくっきり分かれる。一つは、防衛予算を受注している大企業（採択数三七件）で、日立の五件を筆頭にして、以下東芝・富士通・パナソニック・東レ・三菱重工・KDD基礎研が各三件、NEC・川崎重工が各二件となっている。日本を代表する大企業が軍需産業化しつつあり、新製品の初期開発費を防衛省資金に集(たか)っている様相と言えるだろうか。

もう一つは、いわゆるベンチャー企業と呼ばれる特殊製品を開発・販売する小さな会社群（総採択件数二九件）で、ファインセラミックス五件、ノベルクリスタル二件が目立つ。「国家防衛戦略」や「防衛力整備計画」には、スタートアップ企業や国内研究機関の技術の活用が何度も強調されているが、ベンチャー企業が開発した特殊技術の武器への転用に目をつけているのである。またＳＢＩＲ（小規模ビジネス起業研究）と呼ぶ起業経費への補助金制度が創設され、防衛省は二〇二二年度には一六・六億円を計上している。ベンチャー企業は、出身大学との結びつきが強く、防衛省からベンチャー企業に（つまり軍から産へ）流れた資金が、ベンチャー支援という名目で大学に（つまり産から学へ）還流する。その結びつきから、「軍産学共同体」へと発展していくことになるのではないか。

(b) 防衛装備庁の新研究機関構想

自民党筋では、安全保障技術研究推進制度は大学を惹きつけることには成功していないとして、もっと大々的に、かつ大っぴらに軍事研究を推進することを構想している。国防議員連盟が「国家安全保障先端技術研究所（仮）」の創設を二〇二二年六月に提言している。五年以内に、年に一兆円程度もの予算を拠出し、自衛隊も参加した軍事技術開発構想案で「産官学自共同体としようというわけだ。最初から装備計画と結びついた軍事開発を行うことが目的である。

アメリカには国防高等研究計画局（ＤＡＲＰＡ）という部門があり、テーマを決めて公募し、軍事あるいは民間で進められている軍事に役立つ可能性がある民事研究をピックアップして、軍事技術開発として投資することを目的としている。デュアルユース技術の軍事利用の先導役を果たしてきたのだ。これを真似て「日本版DARPAを目指す」として打ち出されたのが上記自民党案である。新聞報道では、政府案として「防衛装備庁に新研究機関を設立」、一年に一兆円予算で二〇二三年度発足（二〇二二年十月読売新聞）し、そこでは「橋渡し研究」を担うということが強調されていた。この「橋渡し研究」とは、一般にいかなる技術開発においても、①アイデア段階の基礎研究、②その現実への応用研究、③模型でのテスト、④現実に近い実作での試験研究、⑤実際の運用、という流れがあり、それぞれの段階ごとに「魔の川」とか「死の谷」とか「ダーウィンの海」と呼ばれる技術的困難が控えている。技術開発はそれらを克服して段階的に進むのである。防衛装備庁も、装備品開発の技術レベルの上昇に伴って文字通りの「橋渡し」研究を必要とし、さらにベンチャー企業が開発した試作品を大手企業が製品化するための橋渡しという意味もある。

「防衛力整備計画」には「二〇二四年度以降に、新たな研究機関を防衛装備庁に創設」すると書かれているが、「安全保障技術研究推進制度」で軍事装備品のアイデアを募り、この新研究機関がアイデアの先に横たわる「魔の川」や「死の谷」を「橋渡し」して、実用的な装備品として実装できるようにする、そんな一貫した軍事研究工場とするのが狙いなのだと思われる。

(c) 経済安全保障重要技術開発プログラム

「国力としての防衛力を総合的に考える有識者会議」において、橋本和仁委員（科学技術振興機構（ＪＳＴ）理事長）と上山隆太委員（総合科学技術・イノベーション会議（ＣＳＴＩ）常勤委員）が連名で、「科学技術分野と安全保障の協力枠組みについて」と題する提案をしている。そこでは、①各種の研究開発において創出される技術シーズを、安全保障分野の用途につなげる、②安全保障の開発ニーズを適切な基礎研究課題に落とし込む、という目的が掲げられている。つまり、科学技術分野のシーズと安全保障のニーズをマッチングさせることによって、科学技術の安全保障への動員を図るというものだ。

科学技術シーズの代表として掲げられているのが「安全保障技術研究推進制度」と「経済安全保障重要技術育成プログラム」で、経済安全保障に関する法律は軍事的な安全保障を強固にするものとして制定されたことがわかる。

そして、このマッチングのためのアクターとして、国立試験研究機関（各種技術開発・実証支援）、国立研究開発法人（先導研究）、そして大学等の個々の研究者（基礎研究）を考えている。研究の実際の組織化は国立研究開発法人をハブとするという構想で、「防衛力強化等の重点政策ニーズの観点からの技術育成」という目的研究のために、コントロールしやすい国立研究開発法人を中心に据え、大学からはクロスアポイントメント（兼業制度）を通じて一本釣りをしようというわけだ。

実際にハブとなって研究の差配を行う国立研究開発法人として、いわゆる研究資金配分機関

（研究推進法人・FA＝Funding Agency）と呼ばれる、文科省傘下の「科学技術振興機構（JST）」と経産省傘下の「新エネルギー・産業技術総合開発機構（NEDO）」が挙げられている。事実、これらの法人は国が出資する大きな研究資金をプロジェクトに応じて研究者に配分することを主な仕事としているのである。

そして、この二つのFAが早くも「経済安全保障重要技術育成プログラム」を募集している。これは「特定重要技術開発支援基金」として、二〇二二年度には二五〇〇億円用意されていたものを、JSTとNEDOが一二五〇億円ずつ折半して募集を開始したようである。

JSTの募集プログラムは、

① 無人機技術を用いた効率的かつ機動的な自律型無人探査機（UAV）による海洋観測・調査システムの構築（一課題五年で八〇億円）

② 災害・緊急時等に活用可能な(a)小型無人機を含めた(b)運行安全管理技術（(a)は原則二年、複数課題で各五億円、後に(b)と統合して五年で五〇億円）

となっており、いずれも無人機（ドローン）の開発が主目的である。「防衛力整備計画」の三番目の「無人アセット防衛能力」に書かれている偵察用無人機・輸送用無人機・多用途／攻撃用無人機・小型攻撃用無人機等の開発とつながっている。人的損耗を極小にし、多様に使えて安上がりの攻撃武器になるドローンは、今後の戦争形態を大きく変えることに目をつけたのだ。

一方、NEDOの募集プログラムは、

①船舶向け通信衛星コンステレーションによる海洋状況把握技術の確立（一課題八年で一四七億円）

②光通信等の衛星コンステレーションによる基盤技術の開発・実証（一課題八年で六〇〇億円）

③高感度小型多波長赤外線センサの開発（複数の個別研究が六年で五〇億円）

の三つである。①と②のいずれも「衛星コンステレーション」とあるように、多数の小型人工衛星群を星座のように宇宙空間に展開して情報収集を行うとともに、迅速で簡単に破られない安定した通信網を構築しようというものである。「防衛力整備計画」の一番に挙げたスタンド・オフ・ミサイル（トマホーク）を用いた防衛能力において、画像情報の効果的な取得が必須で、スタンド・オフ・ミサイルと衛星コンステレーションとはセットとして保有しなければならないのだ。③の赤外線センサの開発は「安全保障技術研究推進制度」でも毎年のように取り上げられているが、暗視撮影・ミサイル発射探知・赤外線による監視などのため時間・空間の分解能が高い素材開発が競われている。

以上のように、経済安全保障による重要技術の開発をいよいよ本格化していこうとしており、機微技術として守秘義務が課せられる研究者、それに違反して罰則を受ける研究者も出てくることは確実であろう。まさに研究現場に国家権力が露骨に介入して秘密が持ち込まれ、研究の自主性・自立性が破られていくことになる。安全保障と名が付けば研究資金はいくらでも出るが、研究の自由はどんどん閉ざされていく状態になっていくことが明らかである。

(d) 福島イノベーションコースト構想

「福島復興再生特別措置法」に基づいて、「新産業創出等研究開発基本計画」が定められた。復興庁が中心となって福島ロボット・テスト・フィールドや福島水素エネルギー研究フィールドなど「今後のイノベーションの起点となる技術を蓄積して日本の再生の拠点とする」との大風呂敷で、福島イノベーションコースト構想が出発した。その一環として、二〇二三年度には「福島国際研究教育機構」が特別の法人として発足した。ここにも、「既存の研究拠点や教育機関等のニーズ」と「地域における機構への期待や具体的なニーズ」をマッチングさせ、「世界でここにしかない多様な研究・実証・社会実装の場を実現して国際的に情報発信する」と鼻息が荒い。しかし、その目論見通り進むであろうか。

現在、イノベーションコースト構想として先行的に進んでいるのはドローン実験を含む、ロボット・テスト・フィールドである。二〇一一年の福島原発の過酷事故の翌年、ＤＡＲＰＡは目敏くもロボット競争を企画した。放射能が非常に高い環境下でも作業を行うことができる遠隔操縦ロボット開発を立案したのだが、今や原発とロボットとは切り離せない関係にある。さらにロボットは戦争の場にうってつけであり、現在の戦場の趨勢は無人化＝ロボット化にあるとさえ言える。ロボット研究は戦争と直結しているのである。むろん、産業ロボット・家事ロボット・介護ロボットなど、ロボットには多種の用途があり、特に過酷な環境下でのロボットの活用は何物にも代えがたく、まさにデュアルユースの典型である。従って、ロボット研究は一概に否定できないが、その使い方について十分注意しなければならない。

ロボットと同じく、福島イノベーションコースト構想で「高機能パワードスーツの開発」が行われているそうだ。パワードスーツとは、体の虚弱な人や体力が衰えた人が着用すると、筋肉の動きを敏感に察知して力を発揮するスーツのことである。力を拡大してくれる有用なものだが、通常の体力の持ち主が着用するとその何倍もの重い物を持ち上げることができるから、重火器を扱う軍隊にとっても非常に役立つ。パワードスーツもデュアルユースなのである。

このように、デュアルユースの問題については、簡単に答えは出せないが、少なくとも軍事研究を拒否する科学技術者として、軍事的利用に反対する立場を貫くことが大事である。

(e) 学問が真に人々の幸福のためとなるために

私は、大学が機関として軍事研究になだれを打って参集していくことにはならないと思っている。大学には多様な専門家と、学生を含む多様な階層の人間が共存しており、それが一色になって軍事化を支持するとは考えられないからだ。しかし権力が、科学者の持つ知識と経験を軍事力の充実のために利用したいと狙っていることも確かである。その方法として、軍事研究プログラムに科学者を取り込むことを当然とし、有識者会議・顧問・審査員・PD（プログラムディレクター）・PM（プログラムマネージャー）・PO（プログラムオフィサー）などの役職で、大学の人間を雇用してその影響力を利用することが増えるだろう。さらに、国立研究開発法人が軍事研究推進の主体となるに連れ、クロスアポイントメント制度を活用して大学を蚕食していくことになるのではないか。

軍事研究は、世界の平和と人々の幸福のための科学から逸脱させ、秘密が伴うことで科学知識は人々の共通の財産でなくなり、その挙げ句に世界を破壊する戦争に協力することになる。そのような科学・科学者であってはならないと訴え続けたい。研究予算の不足を言い訳にしていったん軍事研究に手を染めると、「軍」に依存する体質になり、もはや引き返すことは不可能になる。それどころか、「軍」に阿（おもね）るような提案をするようになりかねない。学問研究が軍事研究に従属してしまうのである。それは文化としての科学、自然観・世界観・文明観などの源泉となる普遍的真理の探究から、余りに遠く隔たってしまうことになる。ガンジーの言葉「人格なき学問、人間性が欠けた学術に、どんな意味があるだろうか」をしっかり噛みしめたい。

（「前衛」二〇二三年三月号）

4 「学問の自由」をどう考えるか

まえがき

二〇二〇年、日本学術会議会員候補者の任命拒否問題が勃発し、それは「学問の自由」を破壊するものとして、千を越える学術団体からの抗議声明が出された。学者・研究者（以下、科学者と呼ぶ）で構成された国家の重要な機関として位置づけられてきた日本学術会議の人事に対して、任命が形式的なものであるとの合意を任命権者である内閣総理大臣が一方的に破棄したことが「学問の自由」を踏みにじる行為として受け取られたのである。

そこでこの論稿においては、まず最初に、原点に立ち戻って「学問の自由」という概念を形成する要件は何かを考え、それが言論や表現の自由など他の自由の権利をも包括する概念であることを述べておきたい。その上で、今回の任命拒否が何を忌避し、なぜそれが「学問の自由」に対する重大な挑戦であるかを論じる。続いて、日本国憲法が国民に保障している自由の権利について、どのように記載しているかを振り返り、軍事研究の禁止が学問の自由と矛盾しないことについて私見を述べる。最後に、軍事研究に関しての、日本学術会議の意見表明の歴史と現状を比較する。日本学術会議が発出する声明は日本の政治的状況や社会情勢を反映しており、会員である科学者の動向にも大いに影響を与えてきた（いる）ことを忘れてはならない。

「学問の自由」の成立要件

「学問の自由」に関して数多くの論考があると思うが、私が経験してきた「学問の自由」が成立する要件を列挙してみると以下のようになる。

(1) 科学者として、自由にテーマを選び、自由に自らの立場を選択でき、自由に研究できること

(2) その研究成果や学説を専門家や大衆に向けて、口頭で、著書を通じて、あるいは学会や学会誌において自由に発表でき、学生への教育に自由に活かせること

(3) テーマに関連する自らの意見や主張を、新聞や雑誌などのメディアで自由に論じ、自らの所論を一般社会に自由に広められること

(4) 自由に社会的な運動を組織したり、運動体に参加したりして、より積極的に所論の実現を図ること

ここに「自由に」と書いた部分が「学問の自由」を成り立たせている要件であり、(1)から(4)までの四要件の自由が満たされることが必要である。注釈を加えておこう。(1)は思想・信条という個人の内面の自由がその基礎なのだが、学問は過去及び現在の学者の研究成果の上に継承

されていくものであるから、広く出版・表現の自由が保障されていなければ健全な学問の発達が可能にならないことを銘記すべきである。「学問の自由」の根幹は内面の自由にあるのは確かだが、それだけに留まらず、広く公開されて人口に膾炙（かいしゃ）されねば意味がないからだ。続く(2)と(3)は言論・出版・表現の自由、(4)は集会・結社の自由と重なっており、(2)〜(4)の自由は広く「学問の自由」を包摂する要件と言える。また(1)と(2)は、学術の研究・教育の主たる場である大学の自治とも深く関係している。

以上をまとめると、「学問の自由」は、思想・信条という個人の内面の自由に留まらず、広く言論・出版・表現・集会・結社の自由があってこそ実現し得るものであり、学問を行う場である大学に自治がなければ「学問の自由」が行使できないと言える。

そのように考えると、この任命拒否は「学問の自由」の破壊につながるという理由を言い得るのではないか。当の菅（すが）首相から任命拒否についての明確な理由が一切述べられていないが、臆測すれば、拒否された六名の学者が、政府の立場とは異なる考え・立場に立って(3)や(4)の行為を行ったことであろう。これまでも日本学術会議は、政府とは異なった批判的な意見を表明しており（それこそアカデミアたる日本学術会議に要請される重要な役割であると私は思っている）、それを苦々しく思ってきた首相が、そのような意見や主張の表明を行わないように釘を刺したと言える。戦前の「学問の自由」の弾圧事件では、例えば一九三三年の滝川事件や一九三五年の天皇機関説事件は(2)の学説に対する弾圧であったが、一九三七年の矢内原忠雄事件は(3)のメディアでの発言が口実とされたことを考えれば、今回の事件は矢内原事件に類似していると言えるかもしれない。

憲法に記載された国民の権利

任命拒否問題の背景には、日本学術会議が科学者の軍事研究への参画に反対してきたことに対する、日本の軍事化を進めたい自民党筋の政治家たちの強い反発がある。事実マスコミでは、大学等を軍事研究に組み込んでいくことを目指しているのではないか、と取り沙汰されている。これに対して私は、科学者の軍事研究への参画は「学問の自由」を破壊するとして真っ向から反対してきた。その理由を述べる上で、日本国憲法の「第三章　国民の権利及び義務」を参照したい。

憲法第三章では、第十一条「基本的人権は、侵すことのできない永久の権利として、現在及び将来の国民に与えられる」と基本的人権の尊重を謳っている。日本国憲法の三本柱の一つ（他は国民主権、平和主義）を宣言しているのだ。

注目すべきなのは、続く第十二条に「この憲法が国民に保障する自由及び権利は、国民の不断の努力によって、これを保持しなければならない。又、国民は、これを濫用してはならないのであって、常に公共の福祉のためにこれを利用する責任を負う」と書かれていることである。その上で、第十九条に「思想及び良心の自由」、第二十条に「信教の自由」、第二十一条に「集会、結社及び言論、出版その他一切の表現の自由」、第二十二条に「居住、移転及び職業選択の自由と国籍離脱の自由」、そして第二十三条に「学問の自由」を列挙している。つまり、憲法でさまざまな自由を保障しているのだが、それは天賦（天から授かった）の権利ではなく、国民一人一人が不断の努力で保持し、濫用してはならず、公共の福祉のために利用する責任を負っていることを強調しているのだ（「公共の福祉」の意味とその使い方について問題があるが、ここでは触れない）。

「学問の自由」も、科学者がまったく何らの制約なしに完全なフリーハンドで研究ができることを意味しているわけではない。そこには憲法が求めるように、研究を行う者の「学問の自由」を保持し続けるための節度や責任が伴い、将来の科学研究が阻害されたり、権力の介入を招いたり、世界の平和や人々の幸福に矛盾したりすることがないように努力しなければならないのである。

また、内面の思想・信条の自由だけに留まっている限り「学問の自由」は何ら制限を受けないのだが、研究という行為に結びつき、研究テーマや研究手法の選択、データの扱いや成果の公開が伴うのだから、そこに人間としての倫理に由来する規範・制限が必然的に生じる。さらに個人の倫理のみでなく、科学者が所属する組織（研究機関）が従うべき倫理規範も生じる。人間は社会的存在であり、公共の福祉という枠組みから逃れることができないからである。

実際、「学問の自由」はあっても、批判され禁止される研究テーマや研究手法はいくつもある。その典型は人体実験の禁止であろう。人体実験はナチスが犯したおぞましい所業から、一九四七年にニュールンベルグ倫理綱領において禁じられ、それ以後さまざまな医の倫理宣言や綱領において広く採択されてきた。しかし、かつて存在したアメリカ原子力委員会は、戦後長く核実験終了後の爆心地に軍隊を行進させたり、ガン患者にプルトニウムを飲ませて体内での挙動を調べるというような人体実験を行っていたことが知られている。近年になってからは、個人が特定されるようなデータの使い方は、個人情報の濫用に当たるとして極力控えるようになっている。しかし、よく読めば個人が同定できるデータの使い方が散見される場合がある。また、人々に差別と分断を露骨に持ち込むような優生学にかかわる研究も、倫理的な批判を受けて論文として受理されなくなっている。しかし、日本においては、一九九六年まで優生保護法が施行されていたことから、優生学を禁ずる社会的合意に欠けていた側面もある。

これまで批判され拒否されてきた研究テーマや研究手法は基本的には倫理的規範からの要請であるから、以上の記載において「しかし、……」という文章をわざわざ付け加えたように、それが守られない事象も繰り返されてきた。罰則規定がないからである。つまり、「学問の自由」は根本においては倫理規範であり、時代が進むにつれて倫理が広く共有されるようになるにつれ、より強く科学者の行動を制限するようになったという歴史がある。今や公然と人体実験を行う、優生学の正統性を鼓吹する、個人データを無断使用する、という研究倫理を無視した研究活動は姿を消しつつある。この状況が自由の権利に対する個々の人間の節度や責任意識が研ぎ澄まされている証拠であるなら、これほど素晴らしいことはない。

これは「表現の自由」とヘイトスピーチの問題と類似している。ヘイトスピーチは、もっぱら虚偽の事実をあたかも真実であるかのように言い散らすことによって特定の人の人格を傷つけ、その存在を抹消しようとするもので、通常の倫理感覚から言えば決して許されるものではない。しかし、当初は表現の自由の方が大事だと放置されていた。やがて、ヘイトスピーチに反対し抗議し阻止する運動が拡がり、多くの市民の共感を得て、身勝手なヘイトスピーチは減少するようになった。さらに、自治体が条例で「ヘイトスピーチ規制法」を策定するようになり、倫理からより厳しい法として機能し始めている。

軍事研究と「学問の自由」

ここで、軍事研究は「学問の自由」とは相容れず、軍事研究の自由を標榜することは「学問の自由」を破壊することにつながる、という点を述べておきたい。そもそも軍事研究とは軍隊・軍備・戦争に関わる研究のことで、直接的には敵を攻撃するため（敵からの攻撃から防御するためが口実なのだが）の武器やその運搬装置の開発を指すことが多い。しかしそれだけに留まらず、武器を有効に使うための付属装置、敵を監視するための機器類、データ収集・通信確保・基地整備など、ありとあらゆる装備品の開発と関係してくる。GPS衛星のための正確な時計や地雷発見のための爆薬検知装置や傷病兵のための血液製剤など、一見して平和的研究と重なり合う開発もある。「軍事研究（戦争）は発明の母」と呼ばれることがあるが、軍は「戦争に負けてもいいのか？」と財政当局を脅して金を出させ、採算を考えずに軍事研究に莫大な資金を投入してさまざまな物品（コンピューター、インターネット、カーナビ用GPS、電子レンジ、ボールペンなどまで）を発明させてきた。一般にノウハウが知れ渡るようになればそれらを民間に開放して、軍隊のありがたさの宣伝にも使われた。それらの面のみから見れば、軍事研究は便利な物品を発明してきたのだから、よいではないかと思われるかもしれない。

しかし、軍の金による軍事研究で開発した装備品等は、当然軍の専有物になり、そのノウハウは秘密になってしまう。特許申請がなされず軍事機密になるからだ。軍事に関わるいかなる知識も敵に内容が知られてはならないためである。だから、軍事研究による知識は公共財とならず、一般に開放すればより多くの使い道がある（例えば、より多数の命が救える）のに、そのような利用は閉ざされるのだ。この点が、民生研究では研究成果が最初から公共財として公開され、誰もが（特許料を払うが）自由に使えるのと決定的に異なる点である。「学問の自由」は当然その「成果の使用の自由」と結びついていなければ、何のための「学問の自由」か、ということになってしまうことに注意しなければならない。

さらに、軍からの資金で行う研究には、必ず軍当局の審査を受け、その指図に従わねばならないという縛りが入る。軍当局者は、その成果が軍事的利用に適したものになるよう、研究計画や手法を変えるよう介入するからだ。また、民生開発であれば安全性や採算性が優先されるが、軍事開発では少々危険であっても技術的能力に勝るものが追求され、採算抜きで進められるのが普通である。だから、人間にも環境にも優しい技術ではなく、技術が特殊目的になって汎用性がなく、一般には「つぶし」が効かない技術に特化する。

以上のような特徴を持つ軍事研究を行うことの、科学者にとっての危険性を改めて指摘しておこう。まず、軍からの研究資金提供の見返りに、秘密研究であることを認めさせられ、研究成果の自由な発表や公開ができなくなり、科学者仲間に自分の研究内容を話すことができず、科学者として認知されなくなる。同時に、研究を進める途中で、スポンサーである軍の介入を覚悟しなければならず、研究の自主性や自律性が阻害されていく。にも拘らず、軍からの資金を受け続けるために、軍の意向を忖度して軍が喜ぶ軍事開発に踏み込んでいくようになっていく。つまり科学研究の場に軍が強く影響を与えるようになり、「学問の自由」が踏みにじられていくのである。また、いったん成果を軍に手渡してしまうと、どのように使われるかはまったくわからず、自分の意図とまったく違った目的のために利用されてしまう可能性もある。大学という場で考えると、軍からの資金で運営される研究現場には学長と言えども踏み込むことができなくなり、治外法権の場となってしまう。大学の自治が失われるのだ。

日本学術会議の現状について

日本学術会議は、これまで一九五〇年と一九六七年の二度にわたって「戦争を目的とする

（軍事目的のための）科学の研究には絶対従わない決意」の声明を発出してきた。はっきり軍事研究拒否の姿勢を打ち出してきたのだ。ところが、二〇一五年から防衛装備庁が「安全保障技術研究推進制度」を創設し、軍事研究に大っぴらに国費を投入する道を開いた。これに対し、二〇一七年に幹事会が発出した「軍事的安全保障研究に関する声明」においては、「二つの声明を継承する」としか書いていない。むろん、その表現から軍事的安全保障研究（軍事研究のこと）を拒否する態度を継続していると解釈すべきだが、明示的にはそういう表現になっていない。そして、防衛装備庁の制度については、「政府による研究への介入が著しく、問題が多い」としか書かれていない。これによって、日本学術会議は軍事研究を明確に拒否する意向を示していないと受け取っている向きもある。

私は、さまざまな状況を考えると、この声明は現時点では最善のものであると考えている。ここには、「大学等の各研究機関は（略）軍事的安全保障研究とみなされる可能性のある研究について、その適切性を目的、方法、応用の観点から技術的・倫理的に審査する制度を設けるべきである」と書かれているからだ。上意下達的に日本学術会議が軍事研究反対の旗を振って先導するのではなく、個々の研究者と研究機関が学問の原点に立ち戻って軍事研究の内実について議論し、「研究の自主性・自律性、そして特に研究成果の公開性が担保されていることをしっかり確認しなければならない」と求めているからである。言い換えれば、これまでと同じような強い決議を、現段階では出せる状況ではないということを認めざるを得ないのだ。

その理由の一つは、社会的情勢として、日本においては軍事力によって日本を守るとの抑止力論が圧倒的多数になり、科学者が軍事研究を行うのを当たり前のように考える雰囲気が強くなっていることである。諸外国のほとんどの国では、軍事研究を行うのが通例であり、軍からの研究費が大きな割合を占めている。これこそが「国際基準」だと言う人すらいる。日本国憲法第九条がいかなる国でも通用するはずだが、国際基準は逆で軍事力を容認するのが当然とされている。それと同じなのである。日本学術会議が戦争を目的とする研究を絶対に行わないという声明を出した一九五〇年は、平和主義を掲げる日本国憲法が施行されて間もなくであり、軍事目的のための研究を行わないと決議した一九六七年は、ベトナム戦争へのアメリカの介入を国際的に強く非難する状況があった。いずれも日本国内において反戦・平和の雰囲気が強く、日本学術会議が軍事研究拒否をはっきり宣言しても違和感はなかったのである。しかし、現状はそうではない。

また、歴代の自民党政府は日本学術会議を煙たい存在と見なし、その影響力を削ぐため、政府のお気に入りの学者・財界人・政治家などから構成する科学技術会議を一九五九年に設置した。二〇〇一年には総合科学技術会議、二〇一四年には総合科学技術・イノベーション会議（CSTI）と衣替えして、科学技術政策を打ち出す権限を日本学術会議から奪ってきた。今や、CSTIが科学技術基本計画を策定しており、「選択と集中」方策によって役に立つ科学にシフトさせている。科学を取り巻く状況がこのようなってくると、「安全・安心の技術開発」と称して軍事研究に足を踏み入れるのに違和感がなくなってしまう。

これに同調するかのように、科学者にたとえ軍事研究であっても科学・技術が進歩しさえすればよいとの科学・技術至上主義の風潮が強まり、イノベーション重視で手っ取り早く成果が得られる研究に流れ、デュアルユース論から軍事研究は発明の母とする科学者も増えてきた。

以上のような状況下での日本学術会議は、会員に軍事研究を容認する科学者が増えており、従来のような軍事と一線を画する意見を出しづらくなっていることは確かである。強硬にスジを通そうとすると日本学術会議内での抗争が激しくなり、そこに自民党筋が付け入ってくる余地を与えかねない。その意味で、日本学術会議は現在非常に難しい状況を迎えている。任命拒否問題には、このような看過できない背景があることを忘れてはならない。

(「現代思想」二〇二一年三月号)

第四部

憲法と政治に関すること

日本の戦後史は一貫して、敗戦時から五年くらいの間に作られた数々の民主法制を改悪する方向に動き、自民党を中心とする保守政府は常に「憲法改正」を狙ってきたと言える。安倍内閣の登場によって、この動きは加速され、数々の悪法（安保法制、秘密保護法など）の制定と独断的な閣議決定（集団的自衛権の行使、武器輸出三原則の改変など）がなされてきた。他方では、国民の保守化を反映して翼賛政党が増加して「憲法改正」に賛成する勢力が国家の三分の二以上を占める状況になっている。ウクライナ問題から、日本の軍事的抑止力の増強を支持する世論も強くなり、それに乗じて軍拡路線が大手を振っている。ここに来て、いよいよ「憲法改正」前夜の様相を呈しているのである。このような状況の中で、非武装・平和主義者である私は抵抗を続けていくしかない。ここに収録した文章は、そのような私の叫びであり祈りの気持ちを表したものである。

1　今、日本は「新しい戦前」を迎えているのか？

「新しい戦前」という言説

昨年（二〇二二年）十二月のテレビ番組で、黒柳徹子から来るべき新しい年について聞かれたタレントのタモリが、「新しい戦前となるんではないですかね」と答えた。この「新しい戦前」という言説が俄かに脚光を浴び、マスメディアやSNS等で広く語られることになった。「新しい（新たな）戦前」という表現は急に言われたわけではなく、数年前から「日本が戦争をする国へと進みつつある」ことへの警告として何人かの識者が使っていたのだが、そんなに世間の注目を惹くことがなかった。だから、なぜ急に多くの人々が「新しい戦前」と口にするようになったかを分析するのは、それなりに興味あることである。何しろ、知名度の高いタモリが口にしたけれど何も理由は述べておらず、何を考えてこう言ったのかについてさまざまな憶測を呼んでいるからだ。

とはいえ、ここでその言説の中身をアレコレ評論しようというわけではない。私は、多くの人々が日本という国の在り様を客観的に見つめると、まさに「戦争前夜」という状況になりつつあることを肌身で感じるようになったからこそ、タモリの「新しい戦前」という言葉を口にするようになったのだと思っている。実際、その発言の直前に安保関連三文書が閣議決定され、防衛予算を倍増して世界第三位の軍事大国にする、そのためにこの五年間で四三兆円を費やす、反撃能力（敵基地攻撃能力）の獲得を当然として軍事力を強化する、との軍事力拡大路線が発表されたからだ。それは、ロシアのウクライナ侵略を目の当たりにし、中国の台湾併合を誇大に語るアメリカの宣伝に乗せられた人々が、日本の軍事的抑止力をより強化すべきと短絡することを煽り、いかにも日本を「戦争を拒まない国」と思い込ませることになった。まさに、戦争を前提とした国造りが具体的に目に見えてきたことから、多くの人々が「新しい戦前」をリアルな描像と受け取るようになったと言えよう。

そこで本論では、明治維新からアジア・太平洋戦争の敗戦までの「かつての戦前」と、現在の私たちが迎えつつある「新しい戦前」とを比較して、「類似した側面」と「異質な側面」を洗い出してみることにしたい。そうすることによって、「新しい戦前」が「かつての戦前」と共通する側面と異質な側面の比較から、私たちはどう対処すべきかを考えられるのではないか。また、「かつての戦前」は必然的に「悲惨な敗戦」に繋がっていったのだが、この作業をすることによって、「新しい戦前」が同じように「新しい戦争」を招き「悲惨な新しい敗戦」をもたらすことがないよう、私たちはどう行動すべきかを考えたい。「新しい戦争」が永遠にないことが明らかになれば、「新しい戦前」という言葉も自然に消滅する。そのために私たちにできることは何だろうか。一九四四年生まれの私だから「かつての戦前」の実情を知らず、歴史として記述された事実を参照するしかない。従って、不十分であったり、考え足らずがあったり、形式的であったりするだろうが、そこはご容赦願いたい。

「かつての戦前」と「新しい戦前」の比較

(a) 世界の情勢

「かつての戦前」時代には、日本は「枢軸国」の一員として日独伊三国同盟という軍事同盟を結んで「連合国」と対抗した。世界は植民地獲得競争の時代で、それに先んじて数多くの植民地を獲得した国家群が連合国であり、後れをとったドイツやイタリアは国を全体主義体制でまとめることで対抗しようとした。それに同調した日本もファシズム国家として共同歩調を取ったのである。そして、これら二つの軍事同盟が相争うことになり、日本はアジア・太平洋戦争を戦って悲惨な敗戦を迎えた。「かつての戦前」の必然的な帰結であったと言える。

他方、「新しい戦前」たる現在において、日本はアメリカと日米安全保障条約という軍事同盟を結び、NATO（北大西洋条約機構）諸国とともにアメリカを中心とした自称「自由民主国家」群を形成している。これに対し、社会主義を色濃く持つロシアや中国などは、選挙で元首を選んでいるものの、その統治者が政治組織を独占する体制を採っている。それらは軍事同盟を結んではいないが、「権威主義国家」群と呼ばれている。このように異なったイデオロギーを持つ二つの国家群の対立関係が、世界大戦を導く原因となる可能性がある。

というのは、「権威主義国家」であるロシアのウクライナ侵略があり、同じ「権威主義国家」と称される中国はこれに賛否を明示せずに局外者を決め込んでいる。これに対し、アメリカを中心とした「自由民主国家」群からのウクライナ支援は、これら二つの陣営の代理戦争の様相を呈しており、世界大戦に拡大する可能性はゼロではないからだ。アメリカと軍事同盟を結ぶ日本は、「自由民主国家」の一員としてウクライナへの軍事支援を少しずつ拡大し、世界戦争になれば集団的自衛権を行使して、アメリカ・NATO軍の一員となって自衛隊の派遣を行うだろう。そう考えれば、現在は国際情勢においてまさに「新しい戦前」が展開しつつある状況と言えるのではないか。

(b) 背景にある日本の憲法

「かつての戦前」の時代は「日本帝国憲法」下にあって、万世一系の天皇が元首であり、統治権を総攬(そうらん)する「天皇主権」の政治体制が組まれ、これを「国体」と呼んだ。一応、立憲主義をも建前としているから議会制度が定められたが、国体によって(つまり天皇の意向で)議会の権限が制限され、緊急勅令が発せられれば議会の効力は停止になった。その帝国憲法を背景にしての明治以来の国家の施策は、殖産興業による国家の近代化(富国)と、それを基礎とした強い軍事力の確保(強兵)であり、その軍事力(強兵)を行使して他国の利権を強奪して富国に尽くすという、強兵と富国の一体化であった。それによって中国・朝鮮・南方への経済的・軍事的進出（侵略・植民地化）を行い、その挙げ句がアジア・太平洋戦争の敗北であった。「かつての戦前」は「日本帝国憲法」がもたらした極めて封建的な政治体制が具現化した姿であった。

多大な犠牲者を国内およびアジア各地にもたらした敗戦の反省を下に、日本は民主主義国家に生まれ変わり、国民主権・基本的人権の尊重・平和主義を三大原則とした日本国憲法を公布した。同時に、教育基本法など憲法の精神を体現した数々の民主的な法律を定めて再出発をしたのであった。この民主主義国家としての歩みがそのまま続いていれば、「かつての戦前」は完全に消え去り、「新しい戦前」が導かれることもなかったはずである。

しかし、一九五〇年頃から政治の反動化が進み、そのまま七〇年以上に渡る日本の政治は、せっかく築き上げた戦後民主主義の成果を取り潰して、資本に奉仕する保守的な社会を築くことに邁進してきた。一九五四年に「国の安全を保つため日本を防衛する」ことを目的とした自衛隊が発足し、その後の数次の中期防衛計画によって戦力の充実・強化が進み、憲法九条の理念に明白に違反する状況が進行してきた。今のところ自衛隊は隊員を裁く独自の刑法や軍法会議法や軍事裁判所を持たないという意味では「軍」ではないが、国際法上の交戦権を有しており、その装備の実態を考えれば、事実上の軍隊となっている。そして、今や日本は、「国家安全保障戦略」に基づいて軍事力を抜本的に強化する「防衛力整備計画」を定めた。これが「新しい戦前」意識の根拠となっていることは言うまでもない。

そもそも「自衛隊」という呼称は、敵の攻撃からの自衛のための武力集団という意味であり、それを有することはいかにも当然のように思えるが、そうではない。というのは、いつの時代いずれの国でも「防衛省」と称し、「国防軍」と呼び、どの戦争も「自衛のため」に攻撃が開始された。実際、「かつての戦前」において、日本は「自衛のため」として中国侵略を行ったのであった。

ともあれ、自衛隊は「専守防衛」のためだったはずである。しかし、今や「反撃能力」と称する「敵基地攻撃能力」を獲得して、「専守防衛」から「先制攻撃」へと踏み出そうとしている。例えば、「スタンド・オフ防衛能力」という言い方がよく出てくるが、これはラグビーの「スタンド・オフ」と同じで、直接攻撃に立ち入らず指令をするのみと思わせ、実際には敵からの攻撃が及ばない場からのトマホークなどの長距離ミサイルによって、後方から敵基地攻撃を可能とする能力のことである。しかしこれは明らかに先制攻撃を想定した能力だ。このように、今や自衛隊が自衛の枠からはみ出そうとしていることも「新しい戦前」の到来を思わせる原因であろう。

また、日本国憲法は三権分立・選挙権の拡大・男女平等・教育権・家制度の廃止・言論や思想などの市民的自由の権利を保障した。肥大化した国権を縮小し、人権・私権を優先することになったのである。そのような民主主義諸制度は、この七五年ばかりの間に少しずつ劣化させられてきたことは否めない。例えば、現在の国政においては、行政府たる内閣の権限が強化される一方、立法府たる議会は空洞化して国民主権の内実が揺らいでいる。原発や再審裁判に見るように司法（裁判所）は権力的になり、行政を補完する役割を果たすことが多い。このような政治状況の中で、「憲法改正」を主唱する勢力は、自衛隊を「軍」として認知し、議会を無効化する「緊急事態法」を唱えており、衆参両議院の三分の二以上を占める事態に至っている。まさに政治状況において「新しい戦前」が到来しつつあるのだ。

さらに、小中高の教育について述べておかねばならない。教育についても、「かつての戦前」と「新しい戦前」の間の類似性が大きくなってきたからだ。むろん「かつての戦前」では教育勅語と国定教科書によって国家主義の教育が行われたのに対し、敗戦後は新憲法に基づいて個人の人権と教育権を尊重する教育基本法と（国定でない）検定教科書に移行した。「かつての戦前」はいったん断ち切られたのであった。しかし現在、家庭の重視とか道徳や愛国心を強調する新教育基本法へと改変され、教科書ではナショナリズムを根底においた検定が強化されている。事実、過去に日本が犯した戦争犯罪などは教科書の記述から抹消され、「美しい日本」を賛美するのみの実質的な国定化への道を歩んでいる。「新しい戦前」の教育は、教育勅語こそ使わないまでも、「かつての戦前」と極めて類似したものに変質しつつあるのだ。その教育の変質の大きな原因として、教育の内容や教員の質の向上を図るべき教育委員を公選制から外し、首長（知事や市町村長）の任命制としてしまったことが挙げられるだろう。教員に睨みをきかせて黙らせ、教育内容への干渉が可能となったからだ。日の丸・君が代を教師に押し付ける教育委員会の姿勢は、「かつての戦前」と酷似している。国家の要請に従順な教育は、やがてお国のために命を捧げる若者を量産することになるのであろうか。

(c) 経済施策

「かつての戦前」は、一種の国家社会主義で国の経営のための経済活動という側面が強く、「富国強兵」に尽くす商工業でしかなかった。経済投資は軍需生産とその基礎をなす製鉄・造船・航空機・鉄道などの重厚長大産業に注がれたからだ。そのためもあって、日常生活を豊かにする製品の開発は遅れ、また軽工業は「安かろう、悪かろう」という手抜き生産であった。歪（いびつ）な経済システムを国民に押し付けたのである。

　敗戦後の日本は、戦争で傷ついた社会体制の復興のために経済優先主義を掲げた。一般消費者の要求に叶うことこそが国際競争力を培うことになるとして、「エコノミック・アニマル」と揶揄されるくらい経済上の利得獲得を最優先し、世界第二位の経済大国と言われるほどとなった。いわゆる中産階級も増えた。次々と新機軸を打ち出して新製品を生産することに力を注ぐことで世界経済をリードした。特に、電子工業技術（エレクトロニクス）の有効さに目をつけ、アイデア溢れる電気製品を数多く開発して世界を席巻したのである。私は、もっぱら平和産業で経済力を高めた一九七〇年代までの日本の経済至上主義を高く評価すべきであると思っている。

　しかし、「ジャパンアズナンバーワン」と煽（おだ）てられたためか、貧乏国から金持ち国へと様変わりして有頂天になったためか、経済バブルに狂奔することになった。マネーゲームに走って新製品を世界に先駆けて開発して市場展開するという勢いを失ってしまった。バブルは弾け、石油輸出国が団結して石油の売買をコントロールし始めた石油危機と相まって、日本の経済力は凋落し始めた。得意であった半導体（電化製品・コンピューター）でも台湾や韓国の後塵を拝するようになった。そのまま空白の数十年が過ぎ、日本は得意であった「縮み思考」の軽薄短小技術のみならず、重厚長大技術である製鉄や造船や鉄道でも国際競争力を失い、今や自動車産業が世界を牽引するくらいでしかない。日本の経済優先主義の先行きは暗くなってきた。

そこで再び禁じ手であるはずの軍需生産や武器輸出に目をつけるようになった。これまでの自衛隊の予算（約五兆円）のうち一〜二兆円は毎年武器や装備品の調達に使われており、重工業・電器・繊維・機械・通信など、日本の数多くの一流企業が受注競争に参加するようになっている。自衛隊への納入は取りはぐれがなく、毎年一定の需要（装備品のスクラップビルド）があるというメリットがあるからだ。しかし、新たな種類の武器生産や性能の向上は簡単には成功しないから、企業も持ち出しをしなければならない。軍需生産は儲け一方ではないのである。

そこで、企業はこのままでは軍需生産から撤退すると国に脅しをかけて、武器の生産・輸出をスムースに行うよう政府をせっついた。その結果として、「武器輸出三原則」を「防衛装備品移転三原則」に変更して武器輸出を大きく緩和し、さらに「防衛産業強化法」では軍需産業への経済的援助と武器輸出の道をより拡大した。また、ＯＳＡ（政府安全保障能力強化支援）を創設して、開発途上国に武器供与を行えるようにもした。まさに日本は「死の商人国家」に成り下がりつつあるのである。このような状況を目の前にしたとき、経済においても「新しい戦前」が始まっていると思うのが当然ではないだろうか。

これらの動きに伴って、日本において「現代版富国強兵政策」が日本で推し進められていることを強調しておきたい。「富国強兵」は「かつての戦前」のスローガンに留まらず、現在も国家としての重要な施策なのである。むろん、現在は「富国」とか「強兵」というような露骨な言い方をせず、もっとソフトで呑み込みやすい言葉が使われている。

まず「富国」は、経済発展の基本動因を意味する「イノベーション」という言葉に取って代わられている。かつての「殖産興業」に対応するスローガンである。以前は経済の活性化の旗振りにもっぱら「科学技術」が使われ、「科学技術基本計画」だの「科学技術総合会議」が経済政策を牽引した。「富国」の要となる生産技術の革新や資源の開発や産業構造の再編などには、科学技術が不可欠なのである。そして「科学技術」の呼称では平凡と考えたのか、カタカナの「イノベーション」を付け加えることになったのだ。「科学技術基本法」が「科学技術・イノベーション基本法」と名を変えたように、「経済社会の大きな変化を創出する」ための技術革新ということで、イノベーションは「富国」の新たな用語なのである。

一方、「強兵」の新たな用語は「安全保障（security）」で、通常は他国からの侵略に対して国家の安全を防衛するために軍事力を強化することを意味する。その場合、現在においては強い兵士のみではなく、より殺傷力の強い武器など装備品の性能向上が求められる。同時に、それは人々の安全・安心に繋がらねばならない。つまり、安全保障という言葉は幅広い意味を持ち、「軍事的安全保障」、「経済的安全保障」、「人間の安全保障」など、安全保障の前に付く言葉によって多様に使われるようになった。しかし、安全保障と言えば基本的には軍事力による安全の確保という意味である。

従って、「現代版富国強兵」を言葉で表すと、「イノベーション・安全保障」ということになるだろうか。こう言えば、日常の当たり前の言葉遣いだから「かつての戦前」に遣われた「富国強兵」のような脅迫感がないが、それが「新しい戦前」の恐いところかもしれない。知らず知らずの間に同調してしまうからだ。

(d) 科学者の動員

「かつての戦前」においては、文部大臣が指名する学術研究会議(一九二〇年発足、現在の日本学術会議の前身)が全国の科学者を研究班に組織し(最高一九二の班が構成された)、そこに大きな題目を設定して軍事研究を割り当てる方法を採用した。どこかの研究班に入らねば研究を継続することができないのである。他方、教育審議会を招集し、大学の文系を減らして理工系を拡充する、産学協同を推進する、という答申を出した。現在の大学政策と酷似している。研究費としては、科研費や日本学術振興会(天皇からの御下賜金で作られた)を通じて細々と提供されていたが、やがて軍は「臨時軍事費」の中に委託研究費を新設して、科研費の一〇倍以上の資金を提供するようになり、大学の科学者のほとんどは軍事研究に参加していったのである。

そのように、科学者は自分たちの科学研究が軍のためであり、人々の幸福や世界の平和のためのものではなかったことを反省し、一九四九年に新発足した日本学術会議では一九五〇年の第六回総会において「戦争を目的とする科学の研究には絶対従わない決意の表明（声明）」を発表した。また一九六七年にも「軍事目的のための科学研究を行わない声明」を出し、軍事研究への非協力を宣言したのである。科学者の軍事協力については、完全に手を切ったのであった。

他方、防衛省幹部の口癖は、「技術的優位」（常に敵より武器の性能が優れている）と、「ゲームチェンジャー」（戦場の局面を一気に好転させる新技術）である。その実現のためには、科学者を軍事研究（新しい武器の考案・開発）に動員する必要がある。一般に科学者は、世の中の役に立とうが立つまいが、もっぱら自分の興味に従ったテーマの研究を行い、その成果を自由に発表したいと思っている。それが科学者の習性・気質なのである。そこで、戦争に役立つ新技術の発明・開発を求めようとする「軍」は潤沢な研究費を餌に、科学者を軍事研究へ誘い込む機会を常に狙っているのである。

その具体化として、二〇一五年になって防衛省は「安全保障技術研究推進制度」と称する、科学者の軍事研究に資金を提供する委託研究制度を創設した。これに対し、日本学術会議は二〇一七年に「軍事的安全保障研究に対する声明」を発表し、この防衛省の制度は「政府による研究への介入が著しく、問題が多い」とし、「研究成果は、時に科学者の意図を離れて軍事目的に転用され、攻撃的な目的のためにも使用されうる」ことを警戒するよう呼び掛ける声明を発した。この声明に応じて多くの大学では応募を自重し、現在では大学がこぞってこの制度に応募する状況にはない。とはいえ、国立大学への運営交付金の削減を通じての経常研究費の不足で大学の科学者は追い詰められており、さらに「選択と集中」（限られた役に立つ分野を選択し、そこのみに研究資金を集中する）政策で多くの科学者が研究費不足に喘いでいる状態にある。日本学術会議の声明は受け入れたいのだが、研究費を得るために、たとえ軍事研究であろうと手を出しかねない状況にある。「かつての戦前」のごとく、研究費欲しさに軍事研究に靡（なび）いていく「新しい戦前」が到来しつつあると言える。

他方、日本学術会議の声明に不満を持つ自民党政府は、二〇二〇年十月に「日本学術会議会員候補者六名の任命拒否」を打ち出したまま放置する一方、二〇二三年四月には日本学術会議の民間への移行提案、会員選出の際に第三者委員会を設置して政府筋からの候補者推薦を行う提案など、日本学術会議に対して強い圧力をかけてきている。政府の意向に従わない学者集団を切り捨てていく意図が露わに見える。学者は科学的見地から独自の意見を表明し、政府はその採否を判断する、というのが正常な関係なのだが、現在の政府は自分たちの気に入らない学者は排除するというわけである。このような日本学術会議への政府の圧力は、まさに「かつての戦前」において学問の自由を圧殺した歴史を想起させ、現在の科学者に対して「新しい戦前」を予感させていると言える。

この予感の正しさは、「国家安全保障戦略」が軍事研究を強力に進めることを至上命令としており、防衛予算に軍事研究がらみの項目を多数計上していることからもわかる。また、経済安保法を通じて、軍事に絡んだ特殊技術に大口の研究資金を提供するという「軍事研究もどき」を大胆に推進する体制としつつある。「軍事研究もどき」と言っているのは、経済安保法に規定された特殊技術・機微技術において秘密研究が当然視され、その秘密を漏洩した科学者が罰せられる制度が導入されているためである。軍事研究という言葉は使われていないが、秘密研究をもっぱらとすることは軍事研究と同義である。また、その研究によって得られた研究成果は、秘密特許として、もっぱら軍事に使われる道が拓かれていることも付け加えておきたい。特許制度は発明者への恩賞とともに、技術が公開されて、より良いものに鍛えられていくことを奨励するための制度である。秘密特許となると軍事技術のみに特化され、社会を豊かにするという技術本来の社会的機能が働かなくなることは明らかだろう。

「新しい戦前」を克服するために

以上の文章の各所で、「新しい戦前」が何をもたらすか（もたらしかねないか）について述べてきた。ここで繰り返さないが、単に「かつての戦前」が繰り返されることもあれば、新たに生起する危険性によって、戦後七八年の間に経験したことがない「新しい戦前」を生み出してもいる。「歴史は繰り返す」側面があるとともに、「歴史は新たに生起する」要素もあるからだ。

ここで私が言いたいことは、「新しい戦前」という言い方は「新しい戦争」が来ることを含意しており、さらに「新しい敗戦」へと導かれることまでも想定している可能性があることだ。言い換えれば、「新しい戦争」を現出させなければ「新しい戦前」は自然に消滅することになる。だから、「新しい戦前」を消滅させるために、現在さまざまに議論されている「新しい戦前」が何を予兆しているかを考えてみたのである。

最後に二つの「戦前」の決定的な差異を指摘したい。二つの「戦前」の間に敗戦があり、それに続いて新憲法が発布された。そのため、「かつての戦前」の時代には市民的な自由と権利について知らないまま戦争が必然となったのに対し、「新しい戦前」を迎えている私たちは新憲法によって市民的自由の権利を体得している。そのことが、「新しい戦前」の私たちが戦争を回避することを可能にする。ここで言えることは、新憲法の九条によって日本は絶対に他国へは侵略しないことを誓っており、国家間の対立や紛争や齟齬があっても、日本は武力に訴えるのではなく、外交的手段としての折衝や対話や交渉によって解決する態度を死守するであろうと世界から信頼を得ているということである。日本がこれまで採ってきた平和路線の実績に自信を持っていいのだ。日本は、その実績を足場にして、積極的に平和外交の路線を堂々と歩むこと、それが「新しい戦前」を何事もなく終わらせることになる。国際的な難問が生じたとしても、直ちに戦争前夜との意識を払拭して、平和的な路線こそがその難問解決の正解であると信じて行動することなのだ。反撃能力とかスタンド・オフ防衛などと身構えることは、かえって相手の武力行使を誘発し、「新しい戦前」が「新しい敗戦」を導くことになってしまうだろう。

今、主としてアメリカによる扇動で、いずれ中国が台湾を武力で併合する事態が生じ、そのとき日本は中国との戦争が不可避との論が喧しく論じられている。そして、その戦争に備えるとして、沖縄などの南西諸島のミサイル配備が急ピッチで進められ、日本の軍事的抑止力を強化しなければと、軍拡を支持する人びとが増えている。それが「新しい戦前」という思いをもたらしている決定的原因であろう。新たな日中戦争が起こるとの思い込みである。

政府はアメリカの後押しで、沖縄を本土防衛のための捨て石にする思惑で、ミサイル配備を進めている。私はこの動きがアジア・太平洋戦争末期の沖縄戦と二重写しとなって不快きわまりない。二度とあのような悲惨な事態にならないためにはどうすべきか、それを真剣に考えることが一番重要であり、ミサイルを配備することではない。なぜなら、もし本格的な日中戦争が起これば、いかに武器で日本を守ろうとしても、日本全体で膨大な犠牲者が出ることは確かである。中国は世界第二の軍事大国であり、高性能なミサイルを多数持っている。それで日本の原発を破壊すればいいからだ。そのような悲惨な事態を招かないためには、日本と中国の間に戦争というような状況を招かないよう考え行動することが第一である。中国・台湾問題は当事者同士が話し合いで解決すべき問題であり、日本はその円満な解決のためにあらゆる努力を惜しまず協力する、それが日本の採るべき方針なのである。

日本は軍事力ではなく、対話力・外交力・人間力・文化交流・友好関係で平和を築く道を愚直に歩む、それが「新しい戦前」を消滅させる最も確かな方法なのである。

（「憲法運動」二〇二三年八月号）

2　国権主義と民権主義、そして憲法九条の意味

ロシアのウクライナ侵攻が起こり、ウクライナの武装抵抗路線が当然として広く受け入れられ、日本も侵略に対して国を守るための軍事力を増強しなければならない、という議論が喧しく交わされている。他国に侵略されるのは「国辱」であり、国家としての尊厳にかかわる由々しき問題、というわけだ。国家権力が第一に尊重されるべきとする「国権主義」の立場が大手を振って日本を席巻しかねない勢いである。しかし私は、「国権」よりも個々の人間の人権を優先する「民権」あるいは「私権」の方が大事であり、それを政治の基本に据えねば人々の幸福は保障できないと考えている。「お国が大事」との「国権主義」が罷り通るとファシズムを招いてしまうと強く危惧するからだ。

元来私は「わが国」という言い方を好まない。「国」と「私」とが同値されていて、危うさを感じるからだ。「国」と「私」の区別をはっきり付け、「国」が先なのか「私」が先なのかを一人一人がしっかり意識する必要があると思っている。つまり、「国」が先にあってその構成員としての「私」があるのか、「私」が先にあって「国」は「私」の集合体に過ぎないのか、いずれを優先するかを決めておかねばならない。「国権主義」か「私権主義」かの選択であり、

むろん私は「私権主義」を主張する。「国」を優先する「国権主義」者は、結局は「寄らば大樹の陰」として、他人を頼りとする烏合(うごう)の衆に堕し、無責任主義となるからだ。「私」が真正面に出る「私権主義」は、個々の人間に対して倫理と責任が問われるだけにしんどいが、そこにこそ人間として生きる真髄があると思う。

「国権主義者」は、「国家第一、軍人第二、国民第三、市民第四」という順序付けを行っていることは、第二次世界大戦時の日本を見れば明白である。彼らは、まず人権と民主主義と自由を重んずる市民を思想差別(治安維持法)によって弾圧し、続いて国民を空襲や原爆の標的にして見殺しにしたことは、沖縄戦において軍を優先するために国民に自決を迫ったことからもわかる。そして、最終的に「国体」なるものを守るために下級の軍人を見捨てて飢餓と病気で戦場死に追いやり、国家主義者たる高級軍人と天皇主義者は戦争に対して何ら責任をとることなく逃げ、何ごともなかったかのように戦後世界をのうのうと生きた。このような順序付けは、武力によって世界を律しようとする国家や社会においては必然であって、いつの時代になっても変わらない。「国権主義者」は国家のためだと軍人や国民を煽り、軍人は国家に忠誠を誓って国民に圧力を加え、国民は「私権・人権」を主張する市民を「非国民」と呼んで国賊扱いをした。以上のことを忘れてはならない。

「国権主義者」は軍事力によって国民を統合しようとする。そのためには「わが国」を侵略しようとしている「敵」を仮想しなければならず、その「敵」は常に武力で勝ろうとするから、「わが軍」も常に軍事力を増強し続けねばならない。こうして果てしない軍拡競争が続くことになり、社会保障費や医療費が削られて国民は病弊していく。これに対し、市民は抵抗せよと呼びかけるが、多数の国民は強い軍事力を持つ国家を奉じ、武力の威力に魅了されてしまい、市民の言葉は耳に入らなくなる。それどころか、国家を危険に陥れると市民を告発して、物言えなくしてしまう。それがファシズムである。軍事力以外に頼るべき論理を持ち合わせていない国家は、知らず知らずのうちに暴力主義に蚕食されていく。そして、気が付いたときには良心的な市民の姿は消え、一色となった国民と軍人しか存在しなくなるのである。

これは単なる悪夢ではなく、ひ弱な民主主義しか培ってこなかった日本の行く末ではないか。第二次世界大戦後の日本は、「国権主義」そのものの極にあった戦前を反省して、平和主義、基本的人権、そして民主主義を標榜する日本国憲法を掲げ、教育基本法など「民権主義」の立場に立つ数多くの民主的法システムを築き上げた。しかし一九五〇年頃を境にして「国権主義」が復活し、徐々に力を獲得して民主的諸制度を無視・変更・破壊する動きが露わになった。また、警察予備隊から保安隊そして自衛隊と名を変えて陸・海・空の部隊を揃え、何次にもわたる防衛力整備計画を実行して軍隊並みの軍事力を強化してきた。このように、戦後の日本は「国権主義」が復活してきた歴史であったと言えるだろう。

そして、安倍内閣が登場して「国権主義」を「積極的平和主義」と言い換えて、秘密保護法、集団的自衛権の容認、国家安全保障法、共謀罪法など、「国権主義」をより強固にする法律を制定し、憲法改悪への地ならしを押し進めた。他方で、中国・朝鮮そして東南アジアの国々に対する戦争責任に向き合わず、有耶無耶にしようとしてきた。そして、ロシアのウクライナ侵攻が契機となって軍事力による抑止論が声高に語られ、「敵基地攻撃能力」を「反撃能力」と言い替え、実質的に先制攻撃論が勢力を増しつつある。国民の多くも「国権主義」に染められて、平気で「人権・民権」を国家に譲渡する方向を選んでいる。最近の選挙において改憲を主張する集団が大きな勝利を得たことは、いよいよ日本はかつての「国権主義」の権化である大日本帝国へ回帰しつつあることを物語っている。

ある人が、「憲法九条は、敵の侵略から日本を守るためではなく、日本の海外への侵略を阻止するための憲法」であると言った。これを解釈すれば、以下のようになるのではないか。日本はこれまで他国に侵略して苛烈に痛めつけた歴史はあるが、他国から侵略されたことはない。今、「日本が侵略されたら」として軍事力を強化しようとしているが、それは特に第二次世界大戦時に痛めつけられた東南アジア諸国から見れば、再び日本は侵略国になるのではないかと心配して見守っているに違いない。日本人は、我こそは正義であると思い込み、日本を守るためとして平気で敵基地攻撃を叫び、核の共有まで口にしている。それは核を脅しに使って先制攻撃を行うという宣言に等しく、自らを正義と擬して何ら恥じることがない。そして、自衛のためと称した先制攻撃によって侵略を開始しかねない日本である。なんとか、そんな日本の歯止めをしているのが憲法九条である。従って、憲法が改悪されて九条に自衛隊が記載されたら、歯止めなき日本となってしまうのではないか。そう考えると、日本は戦前のような侵略国に先祖返りするかどうか、今大きな曲がり角に差し掛かっていると言えるだろう。

私は、日本は今こそ憲法九条の原点に立ち戻って、他国を一切侵略しない国であることを再度誓うべきであると思っている。憲法第九条が戦争放棄・戦力不保持・交戦権の否認を宣言した真意は、日本が再び侵略国となる過ちを犯さないための歯止めなのである。そして、「国権主義」の立場をすっぱり放棄し、「民権主義」を徹底して「私権・人権」を何よりも大事にする国を目指すことを主張し続けるべきである。もはや手遅れの感がなきにしもあらずだが、まだファシズムの国になってしまっていない日本だから、このことを声を大にしてしぶとく言い続けることが必要である。私の世代は平和憲法がもたらした成果を享受しながら、それを本当に活かした日本とすることができなかった。そんな悔いを残しつつ、これを老い先短い私が未来に送る遺言とする覚悟である。

（「ａｒｃ 26号」二〇二二年十月）

3 日本国憲法の三層構造

私は具象的な事物であれ抽象的な概念であれ、それを説明しようというとき、その構造とか成り立ちを、なるべく簡単で想像しやすい「模型」(「モデル」ともいう)の形で提示することにしている。目に見えないところで起こっている事柄、あるいは具体的に表現し辛い観念を、目に見える雛型として示せばわかりやすいと考えてのことである。事象を単純化し過ぎているとの難点が言われることもあるが、複雑で多様な側面を論理的に形式化して明示するのには優れた方法と思っている。ここで提案するのは、日本国憲法の根幹的な特徴を理解し、その本質を把握するために役立つ「三層構造論」である。

補則を含めて前文と十一章(百三条)から成る日本国憲法は、第一章で日本国民の象徴たる天皇、第四章から六章までを三権の分立、第七章と八章を財政と地方自治、第九章を憲法改正規定、第十章を最高法規としての位置づけ、と日本国を成り立たせている規範が書かれているが、この憲法の主要精神は第二章の「戦争の放棄」と第三章の「国民の権利及び義務」に凝縮されていると言うべきだろう。前文に「日本国民は、恒久の平和を念願し、人間相互の関係を支配する崇高な理想を深く自覚する」とあることの本質は、これら二つの章に体現されていると考えるからである。

日本国憲法の成り立ち

憲法が明白に宣言していることは、「日本が再び侵略国となる過ちを犯さない」という、日本の国民の誓いであり、世界に対する約束である。そのため、過去において日本が侵略国となってしまった「国権主義（国体および国家権力を第一義とする立場）」を放棄し、「民権主義（国民一人一人の幸福を追求する国民固有の権利）」を徹底する、人権・私権を再重要視する国となることを明らかにしたと解釈できる。そのために、国民主権と基本的人権の尊重と平和主義の三大原則が国民統合に不可欠であり、特に九条の恒久平和の項を起こして、非武装・非戦を世界に向かって宣言したのである。言い換えると、九条は他国からの侵略を阻止する条項ではなく、「諸国民の公正と信義を信頼」して、日本が率先して平和を達成するとの決心の表出と言える。これをもっと簡明に理解できる説明方法はないものかと考え、「日本国憲法の三層構造」として提示することを思いついたのである。

三層構造

〈第三層目：大原理〉

私は、日本国憲法が〈大原理〉として掲げる精神は、国民一人一人の人権と尊厳が守られ、それぞれの多様性が尊重され、誰もが幸福になることを目指し、それを憲法が保障する、その極めて当たり前のことをこの憲法は求めていると考えている。その最重要項目として基本的人権の尊重がある。終わりに近い第十章「最高法規」の第九十七条で、再度「この憲法が日本国民に保障する基本的人権は、人類の多年にわたる自由獲得の努力の成果」であることを強調し、「過去幾多の試練に堪え、現在及び将来の国民に対し、侵すことのできない永久の権力として信託されたものである」と述べているように、人類が目指してきた歴史的所産である。それをこの憲法でも明示しようとしているからだ。

具体的には、憲法第十三条において「すべての国民は、個人として尊重される」が大原理の言うところであり、「幸福追求に対する国民の権利は最大の尊重を必要とする」が根幹となっている。ここには国家という言葉は一言も入っておらず、徹底した民権主義による個人の幸福追求権の保証こそが憲法の命なのである。

〈第二層目：基本三原則〉

この〈大原理〉を実現するために、国家が国民に保障しなければならない義務・責務が必然的に生じ、それを国家を律する規範として掲げている。日本国憲法のいわゆる〈基本三原則〉である。まず前文において「主権が国民に存すること（国民主権）」を高らかに宣言し、前文の

「恒久の平和を念願する」ことの具体的施策として第二章「戦争の放棄」の第九条において戦争を「永久に放棄し、戦力不保持（平和主義）」を約束した。また前文にあるいささか難解な言葉である「自由のもたらす恵沢を確保し」に込められた精神は、第十一条において「この憲法が国民に保障する基本的人権は、侵すことのできない永久の権利として、現在及び将来の国民に与えられる（基本的人権）」と明示されている。先に述べたように第九十七条においても基本的人権の重要性を繰り返し述べているのは、大原理の関わる歴史的意義を強調するためであろう。

〈第一層目：自由と諸権利の保障〉

第二層目の〈基本三原則〉は国家の統治への条件であり、それを支える上で国民が享受すべき自由と諸権利を示しているのが第一層目に当たり、これが根本にあるからこそ基本的人権が保障されるということになる。その具体的内容は第三章「国民の権利及び義務」として規定されるが、生命・思想・良心・学問など諸々の自由の権利、人種・性別・身分などに関わりない平等権、教育・労働・生活などの社会的権利、参政権・公務員の罷免権・請願権などの政治的諸権利、財産権・裁判権・賠償請求権などの市民的権利など多岐にわたっている。これら諸権利は人間固有の権利であり、国から与えられるものではない。また自由に権利が行使できるからこそ基本的人権が生かされ、憲法の三層構造の第一層という位置づけができることになる。

なお、「義務」として明示されているのは、第二十六条「子女に普通教育を受けさせる義務」、第二十七条「勤労の義務」、そして第三十条の「納税の義務」の三点のみである。

以上のように、日本国憲法は広範な自由と権利を国民に保障しているのだが、私たちはそれを享受するとともに、第十二条において「公共の福祉のためにこれを利用する責任を負ふ」としている。この「公共の福祉」という言葉が「みんなのため」という語意に使われ、ひいては「国のため」へと拡大されていくことが多いが、そうではない。これについては、次項の「4 立憲主義の二つの精神」として論じる。

（「クレスコ」二〇二三年十月号）

日本は立憲主義の国で、為政者による権力の濫用を押さえるために憲法を制定し、憲法に基づいて政治が行われることになっている。「法の支配」とも言われるが、権力を行使する立場にあるものは憲法を遵守しなければならないのである。日本国憲法において立憲主義の精神を如実に示している部分は二か所ある。

4　立憲主義の二つの精神

立憲主義の精神

日本国憲法において立憲主義が明確に述べられているのは、第十章「最高法規」である。ここではまず第九十七条で、基本的人権が「現在及び将来の国民に対し、侵すことのできない永久の権利として信託されたもの」と宣言している。基本的人権の尊重が個人の幸福と尊厳を確立する最重要の条件であることを宣言しているのだ。憲法が目指している目標の実現のために絶対に守られねばならない条項である。そして第九十八条において、この憲法が日本を統治する最高の法規（規範）であるから、憲法の最高条規に違反する法律等は効力を有しないと厳しく制限している。これに照らせば、第九条で「陸海空軍その他の戦力は、これを保持しない」と規定しているのに、自衛権を盾にして自衛隊という戦力を保持していることは明らかに憲法違反である。しかし残念ながら、「解釈憲法」という便法で自衛隊の存続が許され、やがて世界三位の軍事大国になろうとしている。このように、憲法の遵守規定が蔑ろにされている状態が続く日本は、真の立憲主義の法治国家であるのか疑問を持ってしまう。

続く第九十九条で、「天皇又は摂政及び国務大臣、国会議員、裁判官その他の公務員は、この憲法を尊重し擁護する義務を負ふ」とある。権力を行使できる立場にある者に対して、憲法の尊重と擁護の義務を課しているのである。この条項も蔑ろにされ、政治家や公務員が平気で憲法違反を犯している。例えば、安倍元首相が何度も「あのみっともない憲法」と口にして「憲法尊重義務」を平気で破ったが、憲法違反で糾弾されたことがない。身近なところでは、「梅雨空に九条守れの女性デモ」が俳句コンクールで最優秀作に選ばれたが、「公民館便り」に掲載を拒否されるという事件があった。この事件は公民館に勤務する地方公務員の憲法感覚の喪失を如実に表している。作者は掲載を求めて裁判に訴え、丸四年もかかってようやく最高裁で勝訴の判決を得た。この作者の健全な憲法感覚が発揮されたのだが、長い時間がかかったことは、この条項の重要さが忘れられていることを示している。

講演などで第九十九条の話をするとき、私は「この条項には「国民」が入っていない」と、特に強調している。つまり、「政治は憲法の趣旨に従って行われなければならず、国民である私たちは憲法を根拠として為政者や公務員の言動を厳しく監視」しなければならない。これこそが立憲主義の根本的精神であり、その趣旨を活かすことが私たちに求められているのである。

立憲主義のもう一つの精神

もう一つ、国民たる私たち自身が遵守すべき立憲主義の精神を憲法が課していることを忘れてはならない。第三章「国民の権利及び義務」の条項のうちの第十一条において、侵すことができない永久の権利として基本的人権が国民に与えられると宣言されるが、それには条件が付くのである。その条件は続く憲法十二条にあり、「この憲法が国民に保障する自由及び権利は、国民の不断の努力によって、これを保持しなければならない。又、国民は、これを濫用してはならないのであって、常に公共の福祉のためにこれを利用する責任を負ふ」と書かれている。国民には自由と権利が与えられているのだが、それを保持するためには国民の絶えざる努力が必要だと念を押しているのだ。十三条以下に自由及び幸福追求に対する様々な権利が列挙されているが、それらを保持する努力とともに、濫用しないよう戒めているのである。

自由について言えば、思想及び良心の自由、信教の自由、集会、結社及び言論、出版その他一切の表現の自由、居住、移転及び職業選択の自由、外国に移住し、又は国籍を離脱する自由、学問の自由が列挙されている。学問の自由に関して言えば、学問の研究や教授・教育の内容・方法について国家が介入してはならず、学問を行う者の自由に委ねねばならないことは言うまでもない。しかしながら無限の自由があるのではなく、例えば人体実験を勝手に行ってはならず、実名の入った個人データを無断に使用してはならない。守るべき節度があって、自由が制限されることもある。ヘイトスピーチを行う自由がないのと同様である。このように、憲法は国民の自由と権利を保障するが、それを濫用しないよう利用する上で責任があることを国民に求めているのだ。私はこれを立憲主義のもう一つの精神と呼んでいる。

「公共の福祉」

憲法の条文に、「公共の福祉のため」(第十二条)、「公共の福祉に反しない限り」(第十三条、第二十二条)、「公共の福祉に適合するやうに」(第二十九条)と、「公共の福祉」という言葉が何度も出て来る。この言葉を、「みんなのため」あるいは「みんなの迷惑にならないため」と解釈して、私権を制限することだと解釈している人が多い。日本人には、人々が生活する場において他人の目を気にする「世間」の意識が強く、世間と齟齬が生じないよう自己を押し殺して他を優先する体質が沁み込んでいる。そのため「公共の福祉」という言葉によって、「国家のため」とする国権主義的な言動が許容されてきたのである。

私は「公共の福祉」を、「自分もみんなも等しく幸福になる権利のこと」と解釈している。自分を引っ込める必要がなく、自分の幸福・尊厳を主張し、同時に他人にも配慮しようということだ。宮澤賢治の文章に「世界ぜんたい幸福にならないうちは、個人の幸福はありえない」というものがあって、美しい言葉として広く使われている。しかし私は同意しない。「私が幸福でない限り、みんなも幸福ではない」と言いたいからだ。

国権主義に惑わされない「公共の福祉」という言葉の意味を、じっくり考える必要があるのではないだろうか。

（「クレスコ」二〇一三年十一月号）

5　改憲論者の「本音」と「建前」

今、国会では「憲法改正」を主張する勢力が三分の二以上を占め、現在の憲法は風前の灯であるかの状態である。しかし、平和憲法に対する国民の信頼はそう簡単に失われるわけではなく、それ故に改憲を強行することができないでいる。私たちは、国民のこのような健全な意識に依拠して、憲法を守ることに全力を注がなくてはならない。自民党は二〇一二年に「日本国憲法改正草案」を出したが（以下、これを「改正草案(A)」と略称する）、余りに右翼的過ぎて支持が得られないと判断したためか、二〇一八年に四項目に絞った「条文イメージ（たたき台素案）」を発表している（以下、「条文(B)」と略称する）。前者が「本音」、後者が「建前」と言えるだろうか。ここでは、改憲論者が狙っている二点に焦点を当てて、その危険性を炙り出しておきたい。

緊急事態宣言

「改正草案(A)」では、新設した「第九章の第九十八条（緊急事態の宣言）」に、「外部から武力攻撃、内乱等による社会秩序の混乱、大規模な自然災害」などの切迫した事態が生じたとき、閣議にかけて「緊急事態の宣言を発することができる」とある。そして「第九十九条（緊急事態の宣言の効果）」において、「緊急事態の宣言が発せられたときは、（国会の事前の承認を得ることなく）内閣は法律と同一の効力を有する政令を制定することができる」とあって、国会を停止して内閣の意のままに「政令」を発して国民に従わせることを可能とする道を拓いている。さらに「国その他公の機関の指示に従わねばならない」とあって、権力の都合によって無理無体な命令を押し通すことを可能としている。

一方、「条文(B)」においては、「第七十三条（内閣の職務権限）」の条項に【緊急事態対応】とする第二項を新設し、「大地震その他の異常かつ大規模な災害により」と武力攻撃や内乱を緊急事態から外し、「内閣は国民の生命、身体及び財産を保護するため、政令を制定することができる」と述べているのみで、いかにもトーンを下げているかのように見える。しかし、「緊急事態宣言」の後には、必ず「緊急事態基本法」のような法律を定め、現在の私たちが持っている言論や表現の自由、それらを行使する権利を公的に制限しようとするのは確実であろう。

これは、大日本帝国憲法時代では立憲主義で議会制となったが、「緊急勅令」があれば議会は停止され、天皇の命令が優先されたことが想起される。あるいは、一九三三年にヒットラーが率いるナチスが制定した「全権委任法」が、無制限の立法権を政府に「授権」し、政党や組合の禁止法を定めて一党独裁の道を開いたのであった。二〇一三年に麻生財務大臣（当時）が「ナチス憲法　あの手口に学んだらどうかね」と言ったが、まさに自民党の狙いは、「緊急事態基本法」によって政府に全権を委任する独裁政治の実現なのである。

実力組織としての自衛隊

「改正草案(A)」のもう一つの重要事項は、日本国憲法第九条に第二項を加え、そこに「国防軍の保持」を宣言し、「国防軍の組織、統制及び機密の保持に関する事項を法律で定める」とともに、「国防軍に審判所を置く」と規定していることである。ここに現在の自衛隊とは決定的に異なる、軍事法制で法的に建設・保持することを定め、通常の司法とは別個の軍事裁判を行うことを定めた「軍隊」の創設が打ち出されているのである。現在の自衛隊が法制的には「軍隊」ではないのは、軍の制度としての「軍政」、軍の行政である「軍事行政」、軍の作戦に関連する「軍令」など諸種の軍事法制と、軍事法廷・軍事裁判を可能とする軍事司法権を持たないからである。改憲論者は自衛隊を「軍隊」としたいのである。

しかし、これには国民の反対が多い。そのことを見越して、「条文(B)」において一段引き下がった改憲案としている。それは、日本国憲法第九条の戦争放棄・戦力不保持・交戦権の否定は残すが、さらに第二項を加えて「前条の規定は、我が国の平和と独立を守り、国及び国民の安全を保つために必要な自衛の措置をとることを妨げず、そのための実力組織として(略)自衛隊を保持する」と明記することにしたのである。自衛権が行使でき、その「実力組織」として自衛隊を位置づけようというわけだ。これなら、ほとんど現状維持に近いから国民は容易に受け入れると考えたのだろう。

一九五四年に正式に自衛隊が発足して以来、度重なる「中期防衛計画」の積み重ねによって、自衛隊は今や強力な軍事力を有していて、実質的に軍隊と言ってよい。しかし、軍隊とは呼ばれない。第一に憲法に自衛隊の規定が一切ないこと、そして軍事法制・軍事司法権が存在しないためで、「条文(B)」はそれを少しずつクリアするための改憲作戦と見ることができる。それが「実力組織として、自衛隊を保持する」という文言である。つまり、「軍事力を常備している自衛隊を認知する」ことを国の合意とする宣言で、軍隊同然である自衛隊をもはや否定できないと国民意識に刷り込もうと意図していると言える。

もし、この改憲案が通れば、まず自衛隊法を軍事法制として整備し直すことに着手し、自衛隊を国防軍として軍事法廷を設置するという次なる改憲へと進めるのではないか。一度、改憲を経験すれば、人々は改憲に対するためらいの気持ちが薄れると読んでのことである。というのは、「改正草案(A)」では、憲法改正の手続きにおいて、衆参両議院とも「過半数の」賛成で発議でき、国民投票において「有効投票の」過半数の賛成が必要としているからだ。特に、「有効投票の」を加えて棄権票を算定しないことで、改憲が容易にできるとの思惑が背景にある。

おわりに

岸田首相は、自分の任期中に「憲法改正」を行いたいとの意向を示している。また、ロシアのウクライナ侵略を見て日本が侵略されたらとの恫喝や、中国の台湾併合戦争で日本が巻き込まれるとのアメリカの扇動に乗せられて、「憲法改正」が国民に受け入れられやすくなっている。

しかし日本は、あくまで外交力によって平和を構築することこそが侵略を防ぐ最大の抑止力であることを訴え続けねばならない。

（「クレスコ」二〇二三年十二月号）

第五部

科学に
関すること

やはり私は科学者であり、宇宙物理を専攻したためか、科学、なかでも宇宙のこととなると一言口を差し挟みたくなる。さらに、宇宙に関わることで人に知られざることがあれば、それを早く知らせたいと思う。それとともに、科学研究や宇宙探査の在り様について、現状について、あるいは未来のことについて何がしかのことを言いたいと思い続けている。科学が専門家の狭い興味に閉じることなく、広く人々の生き様と密着して、幅広い視野で自然と社会を見る目を養うことに貢献するよう願っているからである。従って、私自身が常に新鮮な目で自然の営みを見ることを忘れず、またそれを人間の歴史の中に位置付けてその意味を味わうことを忘れないようにしたいのだ。その中で科学が恣意的に使われたり悪用されたりするようなことがあれば、きちんとあるべき姿を示さなければならない。特に宇宙を戦場として、あるいはビジネスの場として利用する動きが顕著である現在、本当にそれでいいのかと絶えず問いかけて行きたいのである。

1　月食と星食と初日の出

四四二年ぶりの天体ショー

二〇二二年十一月八日は、四四二年ぶりの天体ショーを楽しまれた方が多くおられたことと思う。皆既月食と天王星食が同時におこったのだから。月食は太陽の光を地球が隠して月が暗くなる現象だが、天王星食は月によって天王星が隠される現象（掩蔽（えんぺい）とも言う）で、二つが別々に起こるのは珍しいことではない。しかし、皆既月食が起こっている最中に月が惑星を隠す星食は滅多に起こらない。太陽―地球―月―惑星の四つが一直線上に並ばねばならないからだ。今から四四二年前の一五八〇年に、皆既月食の際に月によって土星が隠された土星食が同時に起こって以来のことであった。次回の皆既月食と惑星食（やはり土星である）が同時に起こるのは三二二年先のことだから、私たちは実に稀な現象に出会ったということになる。天王星は通常は六等星で、ふだん見ることがなく気にもしないのだが、今回は双眼鏡を用意して赤く輝く月の傍の天王星を目撃し、それが月に隠されてまた出て来る様子を見ていれば、実に得難い歴史的事象に立ち会えた！と、その感動が高まったのではないか。

藤原定家（一一六二―一二四二）は、数え年一九歳の治承四年（一一八〇年）二月から生涯にわたって日記を書き続けたのだが、その年の七月一五日の項に月食を見損なったことを記している。そこには、「七条坊門に宿す。今夜月蝕と云う。暑気に依り格子を上げ、ただ明月を望む。終夜片雲なし。蝕見えず。如何。」と書いているのである。月食があると聞いて、格子を引き上げて月を眺めていたのだが、月食は起こらなかった、「どうしたのだろうか」と不思議がっている。暦が正確でなかったためか、教えてくれた人が間違っていたのか。定家が見た時にはもう月食が終わっていたという説もある。現在は、月食が何時からどの高さで起こるかわかっているが、そんな情報もなかった時代だからさもありなんと思える。しかし、今か今かと月食が起こるのを待ち構えていたはずで、もし起こっていれば定家が気づかなかったとは思えない。ちなみに、その年の九月一五日に「夜に入り、明月蒼然」と書いていて、「明月」という言葉を繰り返し使っていることもあって、定家の日記が『明月記』と呼ばれるようになった。

いつも月を身近に眺めていた定家が惑星食のことを書いていないか調べてみると、天福元年（一二三三年）の九月二一日の項に、「去る十五日の夜丑の時（夜一時〜三時）か。大原に於いて大星を見及ぶ螢惑（＝火星）か。始め三尺（角度の三度）計りに月を追って近づき、月中に入る。月の西側に出て、欠けている様子はないと云う」とある。ここでは「と云う」とあるように伝聞であったらしい。専門家が計算すると、火星ではなく土星であったということがわかっている。

地球の裏側

私が小学三年で兄の紀(おさむ)が中学一年の一九五三年（昭和二八年）だったと思うが、お正月の初日の出を拝みに行こうと二人して早起きし、近くの万才山に登った。山というほど高くないが、真東から太陽が昇るのを見るのに好都合なのだ。寒さに耐えながら待っていると、真っ赤な太陽が地平線からゆっくり顔を出してくる。その有様をじっと見つめてから、兄が地面に太陽と地球と月を描いて、太陽の光が当たる地球に朝が来て昼間になり、光が当たらない側は夜になってその後ろに長い地球の影ができることを教えてくれた。「月がその影に入ると月食となるんだ」と得意げであった。そのとき、突然「地球の上に朝が来る、その裏側は夜だろう……」という、ラジオで聞いた歌を歌い始めた。お正月の朝を運んできた初日の出を見て、思わず口に出てきたのだろう。

光が当たる部分が地球の表側で、影になった部分が裏側らしいのだが、私はふと地球に表裏があることに疑問を持った。地球は真ん丸で、ぐるぐる回っているのだから、やがて裏側が表側に移り、表側が裏側に移る。地球が回っているうちにどの場所も表にも裏にもなるのだから、表裏の区別がつかないのではないかと思ったのだ。コインの表と裏は模様も違っていて、はっきり表裏が決まっていて区別できるけれど、丸い地球はそうではない、地面はどこも表であるはずではないか。そこで兄に「どうして日が当たっていない方が地球の裏側なの？」と聞いた。兄はとっさに地球の「裏側」ではなく「反対側」と歌えばよかったと気づいたのか、黙ってしまった。もっとも反対側という歌詞では歌いにくいだろうが。

江戸時代初期の偉い学者であった林羅山は、朱子学の「天円地方」（天は丸く地は四角）を信じていて、若い頃修道士を訪ねたとき地球儀を見せられ、「上下あることなしや」と問いかけたそうだ。地面が球のように丸いなら上下（表裏）はどうなのかと問うたのである。それに対し修道士は「地中をもって下となす」と答えたのだが、羅山は納得（理解？）できず、「彼らは上下区別つかず」として地球説を退け、平板説を信じ続けた。私が正月に抱いた素朴な疑問は、いみじくもこれと同じであったのかもしれない。

（「雑誌うえの」二〇二三年一月号）

2　七夕の星空を見よう！

「あれっ、今年の七夕はとっくに済んで、梅雨前線が居座った豪雨のために九州では散々だった。星空を見ようなんて、一体どういうこと？」と詰問されそうだ。ましてや、コロナ禍ですっかり気分が内向きになっていて、とても星空を見上げる余裕はない、という日々かもしれない。でも、こんなときこそ気分転換させて夜空を見上げ、内に籠もりがちな気持ちを開放させるのがよいのではないか。

実を言えば、七夕は本来旧暦の行事だから、今年は八月二五日に当たる。折しも、「織姫」である「こと座」のベガと、「彦星」である「わし座」のアルタイルが天の川を挟んで相対し、その間をつなぐように「はくちょう座」のデネブを加えた三つの一等星が夏の大三角形を形作り、東の空から天頂付近にくっきり見える季節である。七夕だからといってベガやアルタイルが動いて互いに近づくわけではないのだが、これからが夏の盛りとなって空が澄み、にぎやかになっていく星空を楽しむ絶好のチャンスである。

七夕（たなばた）の由来

中国から輸入された由緒ある行事として「節句」があり、これが朝廷において「節会（せちえ）」と呼ばれて宴会が催された。儒教の陰陽五行説が信じられていた中国では、奇数が縁起の良い陽数とされており、月日に奇数が連なる一月七日（人日、七草）、三月三日（上巳、桃）、五月五日（端午、菖蒲）、七月七日（七夕、竹）、九月九日（重陽、菊）を節句と呼び、季節の代表的な植物を使った祝賀行事が行われていた。お正月の「おせち料理」とか、ひな人形や五月人形などの「節句人形」は、これに由来する言葉である。

七夕は中国では節句の呼び名である「しちせき」と呼ばれていたのだが、日本の奈良時代に「たなばた」と呼ばれるようになった。漢字で書けば「棚機」で、横板である棚がついた織機のことである。もともと中国では織女と牽牛が一年に一回だけ会合する七月七日に、婦女が裁縫や習字などの上達を星に祈る「乞功奠」という里祭りがあった。一方、日本では神に供える布を織る機織りの女性（「棚機津女」）の伝説があり、中国から入ってきた行事と結びついて七夕を「たなばた」と呼ぶようになったのである。勉強ができますようにとか、スポーツが上達するようになど、短冊に願いを書いて笹の葉につるして星に祈るのは、元々乞功奠のお祭りが起源であるためであった。

中国では織女が橋を渡って牽牛に会いに行く物語（「織女渡河」）なのだが、日本に入ってくるとほとんどが、牽牛が舟で夜の天の川を漕いで渡る話（「月人壮子」）に変わっている。自分から夫に会いにでかける逞しい中国の女性に対し、妻問い婚でひたすら夫がやって来るのを待ち続ける日本の女性と、二つの国の女性観の相違がくっきり表れているかのようだ。

万葉集の七夕の歌

『万葉集』には七夕伝説に関わる歌が「秋の雑歌」として短歌・長歌を合わせて一一三首もあり、特に巻十に柿本人麻呂の三八首と詠み人知らずの六〇首の計九八首が収録されていて、何か編者の意図が込められているらしい。大岡信はその理由を『私の万葉集 三』において、天体にはおよそ無関心な日本民族なのに、珍しく天の川や星の名を詠み込んだ七夕の歌が多くあるのは、歌が下手な男女に対して簡便な歌のお手本を示したものではないか、そのために巻十にまとめ、作者の名前を抹消したのではないか、と推測している。つまり、天漢（天の川）や星そのものに対する興味ではなく、七夕伝説を相思相愛の男女の物語として詠った歌を、読者が恋の歌として使えるよう意識して集めたという推理である。

さもありなんと思うが、なかなか面白い歌も混じっている。例えば、

天の川　去年（こぞ）の渡りで移ろへば　川瀬を踏むに　夜ぞ更けにける

（巻十　二〇一八）柿本人麻呂

は、去年渡った天の川の渡しがすっかり変わっているので、川瀬を踏んで確かめているうちに夜が更けてしまったと、牽牛が織女に遅刻の言い訳をしている情景で、ついニヤッとしてしま

う。一年に一回しか来ないのだから、その間に川の流れが変わって焦ってしまったよ、と苦笑を誘うドラマ仕立てで、さすが人麻呂である。

これに対し、織女は

天の川　去年の渡り瀬荒れにけり　君が来まさむ　道の知らなく

（巻十　二〇八四）詠み人知らず

と受けており、なかなかやってこない牽牛を、川瀬が荒れてしまったのかしらとイライラしながら待っているという風情で、一種の掛け合いとなっている。そして、

我が隠せる　楫棹（かじさお）なくて渡り守　舟貸さめやも　しましはあり待て

（巻十　二〇八八）詠み人知らず

と、櫓（やぐら）や竿を隠せば渡しの守も舟を貸さないから、まだ少しでも一緒におれるとのいじらしい気持ちを表現しているのだが、これも織女の駆け引きなのだろう。

万葉集を繰りながら星空を見上げる、そんな心の余裕を持ってコロナ禍の時代を乗り越える

のはいかがだろうか。バタバタ焦ってもウイルスは退散してくれないのだから。

（「雑誌うえの」二〇二一年八、九月合併号）

3　大空への夢

空を飛びたいとの夢が実現したのは、一八八三年にフランスのモンゴルフィエ兄弟が熱気球を発明し、同じ年にジャック・シャルルが水素を詰めたガス気球を飛ばせたのが最初であった。それは人類に上空から地球を見下ろすという新しい視点を与えたのだが、直ちにガス気球は戦場を二次元の平面から三次元空間へ拡大し、上空から偵察・攻撃することに使われた。一八九九年のハーグ条約の第一宣言で早くも「空爆（気球を使って上空から爆弾を投下すること）」が禁止されている。

一九〇三年にライト兄弟が飛行機の開発に成功したのだが、いち早く軍人たちが注目して、空からの攻撃に応用することとなった。第一次世界大戦には巨大な硬式宇宙船（ガス気球）とともに、一九一三年には偵察機、一九一八年には爆撃機が戦場に投入されている。第二次世界大戦になると、ナチス・ドイツのフォン・ブラウンが、巡航ミサイルの原型であるV1飛行爆弾を、続いてロケットエンジンを搭載したV2ロケットを開発して、ミサイル時代の口火を切った。第二次世界大戦後に始まった米ソの冷戦時代は、核兵器と長距離ミサイルを組み合わせた核ミサイルとなり、互いに相手に壊滅的被害を与え得る能力を身に付けた。このように人類の大空への夢は軍事の場と重なり、やがて「宇宙」の時代に突入することになった。

「宇宙」の二つの意味

私たちは、「宇宙」という言葉を二つの意味で使っている。一つは、天文学・宇宙物理学が対象としている「宇宙」で、我々の周りに果てしなく広がり、全ての天体を含む全空間のことである（故に、以下では「大宇宙」と呼ぶこともある）。もう一つは、地球の大気圏外のロケットや人工衛星が飛び交う、せいぜい地上から四万km程度までの上空のことだ。英語では単純に「スペース（空間）」と呼ばれているのだが、日本語では「宇宙（空間）」と呼んでいる。この後者の意味の「宇宙」が使われるようになった最初は、一九六九年十月のソ連による人工衛星「スプートニク」の成功で、人類の足跡が宇宙空間にまで及ぶようになったためである。ソ連においてはその直前の八月末に大陸間弾道弾（ＩＣＢＭ）を成功させたのだが、実はその実験途中で、いったん大気圏外に出たロケットが地上に戻らないまま、地球周回の軌道に乗って人工衛星となってしまったので、ＩＣＢＭとしては失敗作であった。ところが「人工衛星の成功」と世界中が騒ぎ、アメリカもすぐに後を追って宇宙開発競争の幕が切って下ろされた。人類の「宇宙」への夢は、軍事開発が先導したのである。

天文学の場としての「大宇宙」

最初、人工衛星の登場を大喜びしたのは天文学者であった。酸素を含む地球大気の存在は生命が地上に進出する上で必要不可欠な条件であるのだが、夜空の天体を観測して大宇宙の成り立ちや来し方を考える天文学者にとっては、サングラスを強制的に掛けさせられているようなものである。天体は、その誕生から死に至るまでの間、さまざまな波長の光（正確には電磁波）を放っているのだが、地上から観測する限り、地球大気を通過してきた可視光しか目に届かない。可視光より長波長側の赤外線そして短波から長波に至る電波や、可視光の短波長側の紫外線からX線・γ線（ガンマ線）などの電磁波は大気に吸収されてしまうためである。まさに「色メガネ」をかけて宇宙を見ているのだから、本当の姿を正しく捉えているという保証がない。人工衛星が出現したことによって、必要な受信装置さえ工夫すれば、全波長域で宇宙を観測できるようになったのである。

天文学は、天体からやってくるごく弱い電磁波を捉えて宇宙のさまざまな姿を映し出そうとする。宇宙が非常に巨大であるために、光（電磁波）といえど非常な遠方から地球に到達するまでに時間がかかるから、今地上で捉える光は過去に放射されたものである。つまり、私たちは遠くの天体を観測することによって、宇宙の過去の姿を見ているのだ。まさに、天文学を通じて、宇（時間）と宙（空間）の在り様、つまり時空の変遷をたどっていると言えよう。だからこそ、多くの人々が宇宙にロマンを求め、自分の思いを夜空の天体に託すことができるのである。それは、経済的には何のメリットもなく、単なる精神的な潤いのようなものだけれど、人類の宇宙観・自然観を育み、文化の基層を形成してきた。宇宙を研究する天文学者は、そのような思いを心に秘めて時空の謎に挑んでいるのである。

軍事利用の場としての「宇宙空間」

人工衛星の成功は、宇宙空間の軍事利用への大きな契機となった。上空から四六時中地上の動向を偵察するスパイ衛星（画像衛星・情報収集衛星）が多数投入され、およそこれまで宇宙空間に投入された約五千個の衛星の六割以上を占めているだろう。現在も軍事的人工衛星の主流であり、さらに例えばカーナビで使われているGPS衛星は、そもそも軍隊の位置決めのために開発されたもので、現在は二四基を更新しつつ運用されている。早期警戒衛星は、ミサイル発射の際に噴出される高温ガスからの赤外線の検出を行う衛星であり、その他軍事通信衛星・軍事気象衛星・核実験査察衛星など、軍事のための人工衛星が軒並みである。いずれも、巨大エンジンによってロケットの推力を増し、一ポンド（約〇・五kg）の重量を大気圏外へ持ち上げる費用が一〇万ドルの時代から、今や二万ドルにまで引き下げられている。アメリカが「宇宙軍」を、陸・海・空・海兵隊・沿岸警備隊に続く第六軍として位置付けたのは、地上からではなく宇宙空間からの指令、宇宙基地や宇宙部隊の出動など、戦場を宇宙に移すという発想である。そうなれば、宇宙に核兵器が常備される体制となっていく可能性もある。機密保持が命の軍事だけに、その内実はあまり人々に知らされていないが、宇宙空間は兵器廠（しょう）となりつつあることを忘れてはならない。

ビジネスの場としての「スペース」

軍事化する宇宙をカモフラージュするために、地球観測衛星による地球環境の監視や宇宙望遠鏡や火星探査機などによる天文学への寄与を大々的に宣伝して、人々の目を軍事から逸らせる手法が採用されている。それは例えば、アメリカにおけるＮＡＳＡの火星探査の活動であり、日本では宇宙科学研究所の「はやぶさ２」の活躍である。平和的で学術的な活動に宇宙を活用していることを強調して、軍事の場であることを忘れさせようとしているのだ。

もう一つ、現在の経済至上主義時代を反映してか、ビジネスの場として宇宙空間を利用する動きが二〇〇〇年頃から急速に活発になっている。宇宙開発は巨大強力なロケットエンジンの製作から始まり、さまざまなハード面（ロケットや人工衛星の部品）の技術開発が欠かせず、国家からの莫大な投資が行われ多数の民間請負企業が生まれてきた。そのうちに、実力を付けた企業が、より巨大な利益を得ようと、独立して宇宙を利用したベンチャーを起ち上げビジネスを行うようになっているのである。これも人々の目を軍事から逸らせようとする手法と言えないでもない。

その嚆矢は、ポケットベルから携帯電話へ進出したモトローラが、一九九〇年に国際電話網として「イリジウム計画」を推進したことだろう。元素イリジウムの原子番号77に因んで七七個の人工衛星を打ち上げ、世界中どこでも携帯電話でつなごうという計画であった。しかし、専用の携帯端末が高価で大型なため使いづらく、通話料金が高く、電波が弱くてビル内では通話できない、などの難点によって顧客数が伸びず、間もなく小型受信機と安価な通話料金のセルラー電話に追い抜かれて倒産してしまった。その後、人工衛星数を六六個に減らし、データ通信や海洋通信などでなんとか継続している。

現在の宇宙ベンチャーを牽引しているのは、アマゾンの創始者ジェフ・ベゾスとヴァージングループの創始者リチャード・ブロンソンの「宇宙旅行ビジネス」と、電気自動車で有名な「テスラ」社のイーロン・マスクの「宇宙通信ビジネス」に分けられるだろう。いずれもグローバル資本主義下に大儲けした超富豪たちである。

ベゾスは「ブルーオリジン計画」を起ち上げて、二〇二一年七月に弾道ロケット「ニューシェパード」によって上空約一〇〇㎞まで上昇後、弾道弾のように自由落下する約一〇分一〇秒間の「宇宙旅行」、その間の約三分間の無重力体験を成功させた。家族を乗せた実験飛行だったので値段はつけていないが、オークションでは二八〇〇万ドル（約三〇億円）で落札されていたそうである。一方、ブロンソンは「スペースシップ２」で、同じ七月に六人の弾道飛行を成功させている。ヴァージン社は一人当たり二五万ドルという格安で、年間五〇〇人を宇宙へ送る計画を立てているという。新自由経済のなかでぼろ儲けした大富豪が、宇宙を遊び場にしてさらに稼ごうというもので、現在の経済の仕組みの虚しさを覚えるのは私だけだろうか。

他方のイーロン・マスクはスペースX社を起ち上げ、「スターリンク」と呼ぶ「宇宙通信ビジネス」を展開している。多数の小型人工衛星を打ち上げてインターネット通信を効率的に行おうというのだ。二〇二一年秋の段階で五五〇㎞上空へ一五八四基を打ち上げて運用を開始した。最終的には高度の異なる三つの軌道に総計で一万二〇〇〇基の人工衛星を打ち上げるというもので、「通信衛星コンステレーション」と呼ばれている。このような多数の衛星が地球を周回することにより、その光跡が地上からの天文観測に支障を与える可能性がある。また廃棄された衛星が軌道を漂い続けるスペースデブリ(宇宙ゴミ)となり、それらが累積して他の衛星に衝突して被害を与える危険性が懸念される。それに留まらずスペースデブリが連鎖的に次々と衝突を引き起こして自己増殖する危険性も指摘されている。宇宙がゴミに埋もれてしまい、大宇宙の姿が観測できなくなるのである。さらにスペースX社は、「ファルコン9」ロケットを使ったISS(国際宇宙ステーション)への往還機を開発し、民間人をISSで数日間滞在させる商売も行っている。その値段は一人当たり六〇〇〇万ドル程度らしい。国が先導する宇宙開発に参加することによって宇宙技術を身に付け、それを基盤にしてビジネスを行うという戦略は、まさに国家に寄生した大資本の強欲さを眼前にする思いである。

軍事と宇宙ビジネスがもたらすもの

軍事が宇宙空間の利用を拡大してきたのだが、二一世紀に入って宇宙ビジネスが大きく展開されようとしており、軍事とビジネスが宇宙空間に与える最大の害悪はスペースデブリ問題であろう。現在、地上から追跡されているスペースデブリは、一〇㎝以上のものが約二万個、一

cm以上だと五〇～七〇万個とされている。それが各々秒速で七～八kmもの速さで飛び交っており、同じ速さの人工衛星にぶつかると相対速度は秒速で一〇～一五kmにもなるから、たとえ一cmくらいの小さなサイズのものであっても衛星に致命的な損傷を与える。実際、これまでスペースデブリとの衝突で機能を停止した事故が何回も起きている。そのスペースデブリの多くは、何千と打ち上げられたスパイ衛星の欠片(かけら)であったのだが、やがて金儲けのための宇宙ビジネス衛星が匹敵するようになるかもしれない。

宇宙空間をゴミで汚すことによって、人類の大宇宙を見る目は塞がれ、やがて情報という名の仲間内のおしゃべりに埋もれた人類になってしまうのだろうか。

(「學鐙 2022年夏号」二〇二二年六月)

4　宇宙通り四丁目しし座

銀座四丁目ライオン像前

務めていた大学の関係で、東京都三鷹市に七年少し、神奈川県逗子市にぴったり八年住んでいたのだが都心に出る機会は少なく、銀座をぶらぶら歩きするなんてことがなかったので、私は銀座に関しては実に不案内である。といっても、銀座には全然足を向けなかったわけではなく、会議のために何度も訪れているし、五年前には京橋で講演会を開催してもらったこともある。ただ、目的の場所に一直線に地下鉄で出かけ、終わればまた一直線でタクシーで帰るという次第であったので、天下の銀座でありながら印象が薄い。

しかし、そんな私でもなんとか迷わずに目をつむってでも行ける場所がある。銀座四丁目三越のライオン像前で、私のようなお上りさんが待ち合わせに使うらしく、いつも待ち人でごった返している。早めに着くと、ぐるりと店内を回って高級洋菓子などを試食する楽しみもあるので、時間を持て余すことはない。そして、戻ってライオン像をしげしげと眺めているうちに相棒が到着するという算段になるので好都合である。

というわけで、銀座のライオン像は年中お目にかかれて待ち合わせに便利なのだが、宇宙の星座であるしし座はそういうわけにはいかない。しし座はそう目立つ星座ではないからだ。しかし、春の星座の代表とされていて、五月から六月の夜十時頃からやや南の空にこじし座と二頭並んでいる姿が見える。また、十一月中旬になると深夜一時~三時頃にしし座から放射状に流星が群れとなって飛び出してくるように見える。このように、一つで二度楽しい星座なのである。宇宙のライオン像であるしし座にまつわる話をしよう。

黄道十二宮

天球上を太陽が通る道を黄道と言うが、その一周三六〇度を三〇度ずつに十二分割して、それぞれの位置に代表的な星座を並べたのが黄道十二宮で、誕生月を当てはめて占星術に使われているのはご存知だろう。もっとも、地球の自転軸がゆっくり歳差運動をしているため（地球の自転軸は公転面に垂直な軸方向から二三・四四度ずれており、かつその軸の周りを回る円運動をしており、これを歳差運動・首振り運動と言う）、占星術が考案された二〇〇〇年前から現在までに星座の方向が約三〇度もずれてしまい、今では誕生月を決めた星座とは一つ分ずれている。頭の回転が早い占星術師はすぐにそれに合わせて星座をずらしているが、伝統を重んじる占星術師は昔のままの星座を踏襲している。さて、あなたはどちらを信用しますか?

しし座の星

しし座はこの黄道十二宮の一つで、おとめ座とかに座の間にある、宇宙通り四丁目の由緒正

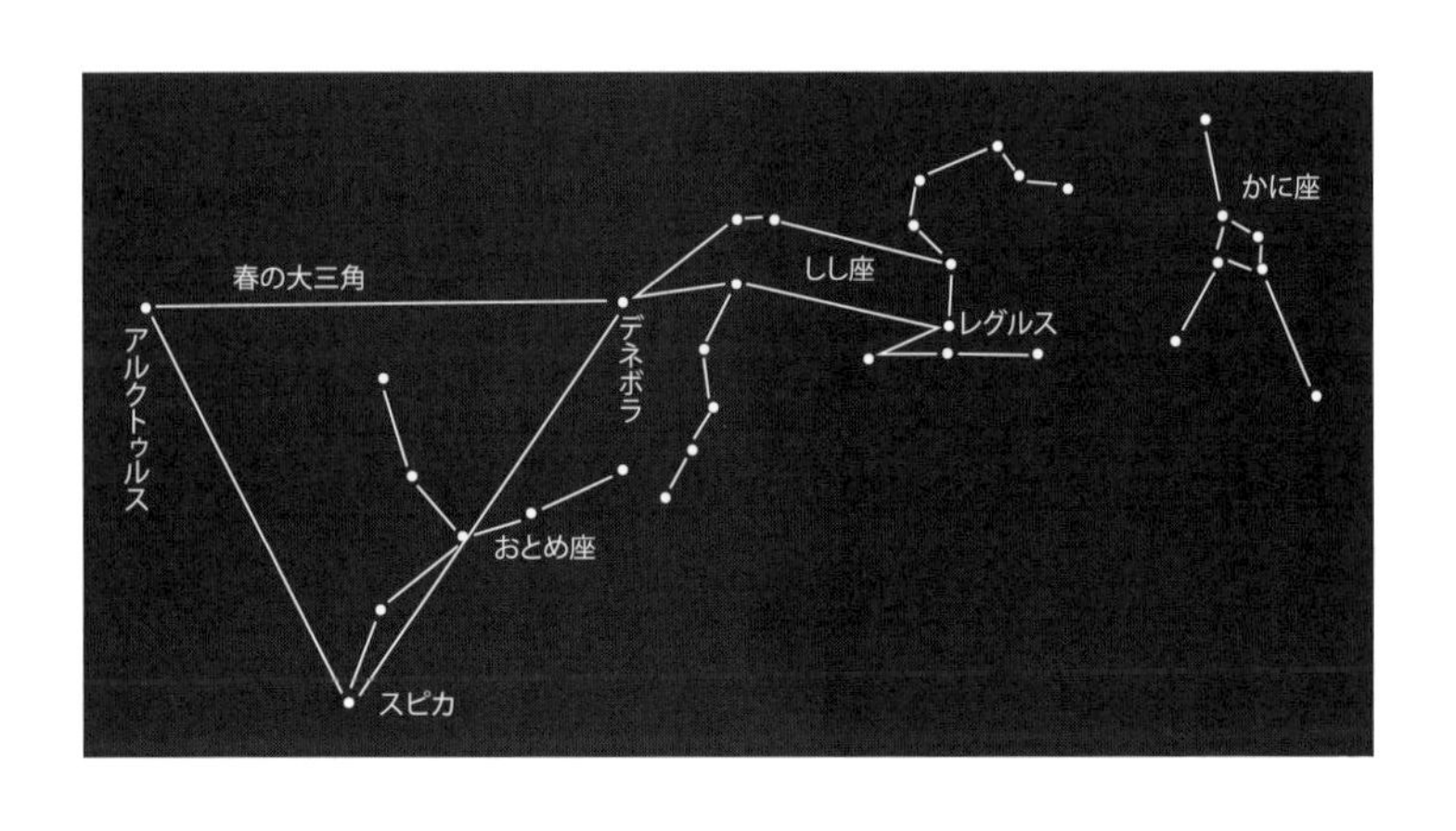

しい星座と言える。実際、獅子の心臓部に位置する一等星はレグルス（しし座で最も明るいしし座α星で、ラテン語で「小さな王」という意味）で、古くから星占いにとって重要な星であった。古代ギリシャの優れた天文学者であるヒッパルコスが詳しく観測したことが知られており、またレグルスという名は地動説の提唱者であるコペルニクスの命名のようで、由緒正しさがわかる。

一方、しし座で二番目に明るいしし座β星はデネボラ（アラビア語で「獅子の尾」の意味）で、その名の通り獅子の胴体を挟んでレグルスと反対側に見えます。このデネボラは、うしかい座α星のアルクトゥルス（ギリシャ語で「熊の番人」の意味、おおくま座を追いかけているように見える）とおとめ座α星のスピカ（ギリシャ語で「穂先」の意味、日本では野尻抱影が「真珠星」と名付けて有名になった）の三つで「春の大三角形」を作っている。この三つの星が見つかると何だか嬉しくなるのは不思議である。

しし座の神話

しし座の神話は、英雄ヘラクレスの十二回の危険な冒険の最初の物語として、ネメアの森で暴れまわっている獅子を退治するよう、アルゴスの王エウリステウスに命じられたことに始まる。この獅子は月に住んでいた不死身の猛獣でレオと呼ばれていた。月の女神の戦車を引く馬を襲おうとしたため、月から追放され、ネメアの森に住みつき人々を襲うようになったというわれがある。

森で獅子と対峙したとき、ヘラクレスは得意の矢を心臓めがけて射かけたが、矢は跳ね返されて折れ、地面に落ちる始末。また樫の木の棍棒を獅子の頭めがけて一撃くらわせても、棍棒はあっさり折れて役に立たない。それでついにヘラクレスが怪力で殴りつけ、獅子がよろよろになったところで首を絞め、ようやくやっつけることができたのであった。この様子を見ていた女神のヘラは、ヘラクレスを相手によく戦ったとして、この獅子を天に上げて星座にした。というのは、ヘラクレスは天の神ゼウスとテーベの王妃アルクメネの間にできた子どもで、そのためヘラに憎まれていたのである……しし座の由来にはギリシャ神話のややこしい家庭事情があるのである。

しし座流星群

流星群は、太陽近くにまで飛び込んできた彗星が太陽熱で熱せられ、チリや岩石成分が内部から吹き出されて、彗星から取り残されていくことになる。それらがゆっくり軌道運動している空間を地球が通り過ぎるときに、空気との摩擦が生じてミリサイズの破片が発光するものである。しし座流星群は、一九九八年二月にやってきたテンペル・タットル彗星が太陽近傍で噴き出したチリが原因で、たまたましし座の方向に発光のピークがある。背景の星座の位置と流星群が生じている場所までの距離はまったく異なっているのである。彗星が訪れた直後の二〇〇一〜〇三年には一時間に一〇〇〇個もの流れ星が記録されたそうだ。この彗星は軌道を遡ると一〇〇〇年以上前から三三年周期で何度もやってきていることがわかった。そして九〇二年にスペインでしし座大流星群が目撃されたという記録もあり、夜空に展開する大スペクタクルとして、昔から人々の目を楽しませてくれていたのだ。といっても、現在のしし座流星群は一時間で五個程度でしかない。次の回帰は二〇三〇年ごろだから、皆さんせいぜい長生きしてください。

三越前のライオン像と宇宙のしし座の話を強引に結び付けたが、こんな宇宙の小咄（こばなし）も楽しいのではないだろうか。

（「銀座百点」二〇一八年九月号）

5 私たちとSDGs

「家畜の惑星」の危機

地球上の哺乳類の全重量ではウシなどの家畜が六〇%を占め、人間が三六%でしかないそうで、今や地球は「家畜の惑星」と呼ぶべきかもしれない。むろん、家畜の生産はヒトが行っており、同時に野生生物との相互作用もあることから、SDGsを考え実行するためには、ヒト・家畜・野生動物を一体として捉えることがとても大事であることを強調しておきたい。

ワンヘルス

二〇〇四年九月にニューヨークのマンハッタンにあるロックフェラー大学において、「グローバル化した世界の健康に関する国際会議」が開催された。そこで採択されたのが「ワンワールド、ワンヘルス（一つの世界、一つの健康）」をキャッチフレーズとする『マンハッタン原則』である。ここで強調されたのが、ヒト・家畜・野生動物の健康を一体のものとして捉え（ワンヘルス）、それを可能とするために大気・水・土壌の環境そのものの清浄性・健全性を確保しなければならない（ワンワールド）という観点であった。そのワンワールド部分を取り出し「持続可能な開発目標（SDGs）」として、具体的な目標を国連が提起したのだが、私はワンヘルスとして含意された部分が欠落しているのではないか、と思ってきた。

実際、パンデミック（世界的大流行）として世界に被害を与え続けている新型コロナウイルスは、人間の過剰な環境開発によって野生動物に潜んでいたウイルスが人間世界に引っ張り出されたためと考えられている。また近年になって、養鶏場において渡り鳥などからうつされた高病原性鳥インフルエンザが蔓延して、多数を殺処分しているニュースを度々聞くようになった。さらに、養豚場で発生している豚熱（かつて豚コレラと呼ばれていたが、人間が罹るコレラが細菌由来であるのに対して、これはウイルス由来でコレラとは無縁なので豚熱と呼ぶことになっている）の蔓延もあり、その原因は食品残渣飼料を非加熱で給餌したためではないかと推測されている。このようなヒトと家畜と野生動物の相互関係の中で、動物由来の感染症が人類の未来を脅かすようになりつつあることを「家畜の惑星の危機」と捉えているのである。

むろん、鳥インフルエンザや豚熱のウイルスは今のところ人体には無害で、食べても別段病気にならない。にもかかわらず、ウイルスに感染している可能性があるとして、同じ飼育場に飼っている何万羽ものニワトリや何百匹もの豚をすべて殺処分している。これは、さらに感染症が広がらないための措置なのだが、その背景にはウイルスの突然変異を警戒しての措置という側面がある。すべての生物の遺伝情報はＤＮＡ（コロナウイルスではＲＮＡ）上に並んだ有機物質（塩基）の並び方で決まっているのだが、その塩基はある確率で変化しており、それによって生物体の性質が変化している。これを「突然変異」と言うが、ウイルスのように塩基の数が少ない生物では、短時間の間に遺伝的性質が大きく変異する確率が高い。従って、現在はヒトには感染しないウイルスであっても、突然変異によってヒトへの感染力を獲得する可能性があるのだ。そのことを警戒して、ウイルス感染した個体が出た飼育場のニワトリや豚全体を殺処分しているわけである。

さらに、養鶏場や養豚場では一種の純粋培養とも言うべき肥育をしており、性質が似た個体の集合になっている上に、日常的に滅菌のために抗生物質を大量に使っており、結果的に薬剤耐性を持つ細菌を増やしている。そして、過密状態で飼育しているから、感染症が発生すれば一気に蔓延する条件が備わっているわけで、一羽・一頭でも感染状態を呈すれば、すべてを殺処分するのは必然的なのである。言い換えると、ヒトと家畜と野生動物を一体として捉えて、全体が健康な状態でなければ持続可能な食生活とはならない、ということがわかるだろう。

人類の歴史とともに

人類の歴史は狩猟採集の生活から始まったのだが、その段階で既に動物由来の感染症（人獣共通感染症）にヒトは罹っていたらしい。ただ、その頃は人口が少なく、集団の規模も大きくなかったので、被害も局地的であった。やがて農業社会になって集団が大きくなり、野生動物をペット・労働力・食肉の目的で家畜化するようになった。このことによって、野生動物に寄生していた病原体が（特に食肉によって）人間に感染するするようになり、感染症の数が一気に増えたとされている。また、その頃から各地域との交易も始まって感染症の広がりが大きくなったと想像される。さらに文明の発達とともに、道路・水上交通・航空へとヒトと物の流動が世界規模になって、感染症が広がる領域は一地域に止まらなくなり、地球規模へと拡大した。その過程で、それまでヒトには無害であったウイルスが、さまざまな環境に曝されて有害に作用するようになった可能性もある。

現在、ウイルスが原因の疫病は二〇〇種以上知られているが、以上のように時代とともに増えてきたというのが歴史的事実である。突然変異で人間への感染性を新たに獲得したものがあり、またそれまでは森の奥でひっそり生息していたのがヒトの手によって引っ張り出されてきたというものもある。むろん、ヒトは感染症に対抗するために、抗生物質を発見して細菌を抑え込み、ワクチンを発明してウイルスへの抗体を作って免疫を獲得する、というような知恵を発揮してきた。しかし、薬剤耐性菌が現われて抗生物質が効かなくなり、ウイルスは突然変異で素早く変身してワクチンの効果を薄くしている。人類は永遠に感染症との戦いを続けねばならない運命にあることを忘れてはならない。

現在進行形の実例をいくつか見てみよう。その一つは、現在の新型コロナウイルスのことだ。ヨーロッパやアメリカのミンク農場で集団感染が起こっており、デンマークの農場ではミンク間で感染した後、変異を起こしたウイルスがヒトに感染した。最近の報告では、アメリカ国内で野生オジロジカに新型ウイルス感染が広がっていることが確認されている。それも広い領域で、かなり高い確率で感染が拡がっていることから、ヒトからオジロジカに感染したことは確からしい。そうすると、オジロジカ集団内で感染が広がれば、やがてウイルスの変異が起こり、今度はオジロジカから人に感染させるようになるかもしれない。

感染症との戦いは、時代とともに熾烈になっている。私たちが生きている現在がその渦中にあることを、食肉の消費問題から考えてみよう。

食肉消費と環境問題

人類の生活レベルが上昇していることは歓迎すべきことなのだが、食肉の消費がぐんぐん増えており、ただでさえ地球環境問題が深刻になっている現在、食肉生産のための畜産業の発達が地球環境問題に大きく影響するに止まらず、感染症の拡大を加速するようになったことを指摘しなければならない。

世界の食肉の生産は、一九七〇年には約一億トンだったのだが、二〇一八年には三・五億トン近くに増え、一人当たりでは約二七kgから約四五kgに増えた計算になる。それに応じて家畜の数や飼料となる穀物量もそれだけ増えている。「家畜の惑星」と言う所以でもある。

家畜に関連する環境問題は、これまで有機物などによる水汚染や海の富栄養化、牛のゲップ（メタンの発生）による大気汚染などが言われてきたが、今や質の異なる問題が大々的に生じるようになっているのである。一つは、放牧地や牧草地の拡大がある。飼料用穀物を生産する農地の拡大のために、多くの発展途上国では森林を破壊し、過剰な放牧による土地の劣化や水資源の枯渇を招いている。これに伴って牛や羊のゲップや家畜の排泄物（はいせつぶつ）は温室効果ガスである二酸化炭素・メタン・一酸化二窒素の排出源となっている。例えば、メタンは二酸化炭素の二五倍の温室効果があるとされ、牧畜分野で世界のメタン排出量の四〇％を占めているそうだ。また、食料生産から排出される温室効果ガスの排出量は、植物由来の二九％であるのに対し、動物由来は五九％と、植物由来の二倍以上となっている。食肉の生産過程そのものが地球にやさしくないのである。

食肉生産のために森林を大量破壊しているということは、当然想像されるように野生生物が持っていた病原体を解き放つことにつながる。そのルートは、ヒトと野生動物との接触だけでなく、多数の家畜や家禽（ニワトリやアヒル）が間に入り込むから、ヒト・家畜・家禽・野生動物の「四密」状態になるわけだ。鳥インフルエンザウイルスが家禽を経由して人間に感染するようになったという報告もある。家禽の体内で増殖した病原体が、蚊や蛾などの媒介昆虫を通じて人間に感染を広げる可能性もあるだろう。日本脳炎はその一例である。脳炎を養豚場の近くで大量発症させたニパウイルスの自然宿主はフルーツコウモリで、これが豚に感染するようになり、そして人間にうつったものであった。今回の新型コロナウイルスがどのような経路でヒトにパンデミックを引き起こしたのかいずれ明らかにされるだろうが、その根源が食肉の増産であったという思いがけない結果になるかもしれない。

ワンワールド

以上のように見ていくと、まさに世界は一つにつながっており、今やその結びつきが地球大であり、またいっそう緊密になっている。その結果、「風が吹けば桶屋が儲かる」式の連鎖が強まっており、短時間で種の壁を乗り越えることが心配されている。皮肉な言い方をすると、細菌もウイルスも含めて私たちはワンワールドに生きているのである。しかし、何もかもが一体となるということではなく、互いに干渉せず、それぞれが場に応じて、独立して生きるのもワンワールドと言うべきである。過剰な食肉の消費が地球環境の悪化を招いているように、私たちは「ほどほど」ということを学ばねばならない。特に、先進国と言われる地球の富裕層が開発途上国と言われる貧困層に地球の矛盾を押し付けている状態では、持続可能ではないことは確かである。「ワンワールド、ワンヘルス」というキャッチフレーズの意味をよくよく考えてみるべきではないだろうか。

(「婦人之友」二〇二一年三月号)

6　科学を過大評価してはならない

新型コロナウイルス問題をめぐって、科学者の意見と政府の対応にズレが生じて専門家の助言の意味が問われ、また日本学術会議会員候補者の任命拒否問題が契機となって、科学者の存在についてアレコレ議論が出されている。現代は科学技術の時代と呼ばれているのだが、そもそも科学者の助言の真意はどこにあるのだろうか、そして科学者の意見をどのように受け取るべきなのだろうか、改めて現代における科学の意味を考えてみよう。

単純系と複雑系

科学とは、ある出来事（現象、事象の結果）に対して、その物質的原因を探るために、論理的に過不足なくその連関をたどって因果関係を合理的に説明する作業のことである。そして、それによって得られた知識を基にして、関連する事柄の詳細を解明するのみならず、将来起こり得る未知の事象をも予言することを通じて、なすべき対応の処方箋を与えてくれることが期待されている。その際の科学の営みにおいては、霊魂や怨念のような実体のないものには一切頼らず、物質の存在とその構造・運動で現象を説明し、個人の都合や社会的要請のような利害を介入させないのが鉄則である。

長々と科学の定義や作業の中身を書いたのは、世間では「科学的」と言いながら科学の要件に当てはまらないことが多く、そもそも科学の名に値しない行為が見当たることが多くあるからだ。そのことに念を押しておいて、さらに科学には二種類あることを述べておきたい。

一つは「単純系」で、原因と結果が一対一で対応しており、部分の和＝全体という関係にある。ボールが窓に当たればガラスが壊れる単純な例から、低温になって翼に着氷し揚力が付かずに墜落した飛行機事故まで、結果から原因を推定していく作業は比較的直線的である。

これに対して、もう一つの「複雑系」は、一つの現象に対して多くの対等な原因が考えられ、原因を特定しても周囲の条件次第で異なった結果（現象）に導かれる場合で、多数の原因と多数の結果が互いに結び合っていて単純に因果関係が同定できない場合である。例えば、「風が吹けば桶屋が儲かる」式の論理のつながりのようなもので、少し条件を変えるだけで話が変ってしまう。地球環境問題が複雑系の典型で、地球温暖化そのものを疑う人や地球温暖化は二酸化炭素の増加が原因ではないと主張する人がいるのは、原因と結果の多重性があるためと言える。一〇〇パーセントの確率で正解が得られないのが複雑系なのである。

科学は単純系に対してはとても強力で、数々の難問を解決して人類存続の障害を取り除いてきた。また、さまざまな新技術をイノベーションして人間の生活を便利で豊かなものにしてきた。それらのほとんどすべては単純系であり、故障や事故が起こっても、その原因を明らかにし技術の改良を行えた。このように個々の科学技術の中身を問題にする限りでは単純系で取扱い易いのだが、科学技術は人間社会の中で活用されていることを考えねばならない。そうなると複雑系に転じるのである。そもそも人間（人体）は複雑系であり、人間の集団が構成する社会は、それに輪をかけた複雑系であるからだ。

ウイルス禍について

これまで人類とは接触してこなかった新種のコロナウイルスが、何らかの作用によって人間社会と交叉することになったのが今回のコロナ禍の原因である。人類は発祥以来ずっと、このような新種のウイルスとの遭遇を何度も経験し、遺伝子に取り込んできたり、抗体をつくって無害化してなんとか共生してきた。

今回のコロナ禍でも、これまで経験したことがない肺炎症状が広がり、その現象の原因として新型コロナウイルスを特定し、そのウイルスがどのような作用を及ぼすかを明らかにする、という科学の過程は典型的な単純系の作業である。そして、体内に抗体を作らせるワクチンを開発し、免疫作用で発病しないように措置するのも人類が開発してきた通常の療法で、これも単純系に対する処方である。時間はかかっても必ず成功する。一〇〇年前のスペイン風邪では、もっと多数が感染し、もっと多数の死者が出たが、ワクチン開発に成功せず、自然治癒に委ねるしかなかった。そのことを考えると、この間の科学の進歩には大いなるものがあり、私たちは良い時代に生まれたと喜ぶべきなのである。ところが、コロナウイルスに対する不安が募る一方で、むしろ科学不信の声ばかりが高まり、科学者への風当たりが強いのはなぜなのだろうか。

その理由として、私は、コロナウイルスと人間との対応の問題となると複雑系に転化し、誰もが正解を持たないためではないかと考えている。

先に述べたように人体は複雑系であり、ウイルスに感染しても無症状の者がいる一方、感染して重症化し亡くなる人もいる。また、個人ごとに遺伝子のタイプに差があり、また持病の有無があって、人それぞれ感染に対する抵抗力の差異があるのも確かである。さらに、過去のBCG接種が効いているとか、日本人の「民度」のレベルが違うという人までいる。テレビには多数の「専門家」が顔を出すが、非常に深刻に捉えて恐怖を煽る人から、通常のインフルエンザと違わないと主張する人まで幅広く、さて誰を信用していいのかわからない。正解がありそうで、実際には正解がわからない状況を前にすると、人々は不安感を煽られる一方なのである。

その背景に時間が加速されている現代がある。新型ウイルス出現だとわかっているのに、なぜ素早く治療薬やワクチンができないのかと、科学者に対する不信に転化する。実際には、感染症が確認されてほぼ一年という短かい期間にワクチン接種が始まっているのだから、科学は大きく発展したとなぜ捉えないのだろうか（むしろ私は、ワクチンの早すぎる開発に、副反応や抗体の継続性など安全性・有効性に対して疑念を持っている）。問題があれば直ちに科学が解決してくれる、との科学への過大評価こそ科学をないがしろにするのではないだろうか。

科学的対応と政治的対応

さらに、コロナ禍に対する社会的対応は複雑系の最たるものであり、科学的対応とは大きくかけ離れていることも科学不信を生んでいる。新型ウイルスの感染を抑える最善の科学的対応は、人間の接触を完全に遮断することである。そうすれば、たとえウイルス感染しても、体内ウイルスは孤立して行き場がなくなり、人体を殺すか（ウイルスも死んでしまう）、人体に抗体ができて免疫作用を行う共生の状態が生じるか、のいずれかになる。コロナウイルスによる人間の死亡率が二％なら、一〇〇人いて九八人はウイルスと共生するのだから、それで十分とすればよいかもしれない。どんな疫病だって生存率一〇〇％はあり得ないからだ。その意味では科学的対応は単純で、感染症を抑える切り札は人間関係の遮断なのである。事実、今回のコロナ禍においても感染症の専門家たちが求めていることは、三密の自粛、集客業の営業時間短縮、社会的ディスタンスの確保など、基本的には人間の接触の遮断であることがおわかりだろう。

むろん、それが可能なのは、人口が少なくて人間の集団が閉じている場合のみである。現在の社会は人間が接し合うことで成り立っているから、接し合う場において感染する可能性が高まることは必定である。そのため、右の科学的対応を完全に履行することは不可能になり、何らかの措置を採らざる得なくなる。ところが、社会は利害が相反する集団を数多く抱えている複雑系だから、社会を円滑に動かすには、中央政府からの何らかの法的措置や指令や要請という形で人々が共働するよう仕向けていかざるを得ない。それがいわゆる政治的対応で、そこには経済的要求や社会的動静を考慮しなければならず、科学的対応は諸条件の一つに過ぎない。政治的対応は幅が広く、どのような政治的対応においても、そこから取り残されたかのように感じる集団は不安感で一杯になってしまう。

都市のロックダウンや非常事態宣言は、人間関係の遮断を優先する科学的対応を重視した方策で、ウイルス禍の発祥地の武漢で成功し、デジタル技術で人間管理を徹底した韓国や台湾でも成果を挙げている。しかし、それでは経済活動が低下してしまうとして、人間の密な接触を禁じていないスウェーデンのような国もある。ブラジルやアメリカも含め、政府の介入を抑えたこれら国々の死亡率は高いことが報告されている。それも計算のうちだとするのが政治的対応ということになる。

日本政府の対応は、経済的困難を軽減するとの意図を優先する余り、科学的対応は二の次・三の次になっていることは否定できない。コロナ禍の一波や二波が治まって一服した段階で、予測される三波を迎えうつため病院や保健所などの医療体制を拡充をすべきであった。しかし、経済対策ばかりが優先されて、そんな対策には手が付けられなかった。この状況に対して、科学の専門家たちはもっと強硬に意見を述べるべきであっただろう。

いかなる知恵を見出すべきか

ここで言いたかったのは、科学が得意とするのは単純系であり、コロナ禍に対しても有効なのは単純系への対処法であり、それ以上でもそれ以下でもないということである。言い換えれば、科学を過大評価しても過小評価してもならないということだ。コロナ禍に対する政治的対応となると複雑系を相手にすることになり、科学者が求める正解は直ちに実施できなくなる。コロナ禍への政治的対応においては、科学的対応は一つの選択肢に過ぎないからだ。そうして、手が付けられない事態に追い込まれて初めて科学的対応が強化される。

今、コロナ禍に対する科学的対応を効果的に行うために必要なことは、最も単純な医療資源の充実（医師・看護師・検査技師などの人的充実、ＰＣＲ検査の拡大と緊急病棟の拡充、コロナ禍の病状に応じた受け入れ病床の確保、一般病棟の確保等）である。これこそが科学を考慮した最善の政治的対応であることは自明であるだろう。

（「まなぶ」二〇二一年二月号）

7 科学の発展におけるムダとは？

科学研究はムダが多い？

今、日本にはおよそ七〇万人程度の科学者がおり、世界全体ではその一〇倍の七〇〇〇万人弱と推定されている。科学者の定義は、「過去三年以内に複数の論文を書いた人間」だから、世界中では少なくとも一年に一〇〇〇万件もの論文が発表されていることになる。もっとも、母国語（日本なら日本語）で書かれた論文が過半数を占め、欧文（ほとんどが英文）で書かれた論文ではないため、国際的に読まれ評価されている論文は一〇%程度で少ない。それでも、非常に多数の論文が発表されており、毎年それだけの論文が蓄積されているのである。

その多数の論文の中でノーベル賞が授与されるのはごく稀であり、ノーベル賞とはいかないまでも、その業績が高く評価されてさまざまな賞が与えられている論文は、世界中で一年に五〇〇くらいだろうか。それらを一流論文だとすると、ざっと見積もって一流論文の割合は一万分の五になる。つまり、ノーベル賞で歴史に名を残す科学者はほんの一握りで、一流論文を書いて名誉な賞をもらう科学者も一万人に五人程度しかなく、ほとんどの科学者は一流論文を書かず（書けず）に、無名のまま一生を終えているのである。

これを見ると、なんと効率が悪く、ムダが多いことか、科学者はもっと少数でよく、大多数は研究なんかせずに、学生たちに科学の知識を教えるだけでいい、そう思うかもしれない。実際、現在の日本の財務官僚はそのように考えているようで、「選択と集中」と呼ばれる科学技術政策を採用している。よい成果が期待できそうな分野（と研究者）を選択してそこに研究資金を集中する、言い換えれば、その選択から外れた分野に研究資金を回さないという政策で、ここ二〇年近く続けられてきた。そうすればムダな研究投資が避けられ、投資効率が高いと考えたのだ。

ところが、ご存知のように十年くらい経ってからこの政策の「効果」が表われはじめ、今や毎年のように世界の科学のランク（発表欧文論文総数や一流論文数の国際順位）から日本は年々転落し続けている。雑誌のネイチャーは、「日本は十年以内に科学の世界の一流国から脱落するであろう」と予測しているほどである。それにもかかわらず、財務当局は政策を改めることなく、このまま「選択と集中」路線を突っ走っている。

さて、科学研究のムダとは何で、それにどう対処すべきなのだろうか。

役に立つ科学と役に立たない科学

一方で、バブル崩壊後の日本経済が沈下する状況がはっきりしてきて、政府はやたらにイノベーションを強調するようになっている。イノベーションとは経済発展の基軸を担う技術の革新のことで、端的に言えば役に立つ科学技術を生み出し、それによって企業活動を活性化させることを意味している。それ自身は、物作りを基本とする工学が常に目標としていることなのだが、やたらに急かされると新機軸を打ち出す余裕を失い、単に改良することで手を打つことになってしまう。改良主義ではその成果は長続きせず、すぐに追い抜かれてしまう、それが現状なのである。

真に求められているのは、同じ目的の製品を、原理や仕組みが根本的に異なった斬新な方式で考案することである。それには多くの可能性があるから、ゆっくり考える余裕と何度も試行錯誤できる時間が必要である。ところが、そうしていると役に立たないようなことに時間と予算をムダ使いしていると見なされてしまう。つまり、役に立つイノベーションを強調しすぎると、一見役に立たない試みがムダとして切り捨てられる危険性があるのだ。日本が今陥っている「イノベーション病」は、ムダを無くそうとしてムダの山を築いていると言えるのではないか。

科学の分野では、最初は役に立つことを考えず、ひたすら科学者の好奇心や探求心のみから研究が進められてきた。例えば量子力学は、電子などのミクロ世界の物質の振る舞いが、ニュートンが切り拓いた力学とは異なるのではないか、との興味と関心から研究され、マクロ世界の私たちの世界で何の役に立つかは考えもしなかった。しかし、一九五〇年頃から半導体を扱うようになって、急速にミクロ世界の応用が広がってきた。ここに電子という微小な実体が物質の構造や反応の中心になっていることがわかり、役に立たないと思われていた量子力学の法則抜きでは技術の行使もできないのである。現在は量子論を抜きに世界が語れなくなっているのだが、量子論の建設に携わった初期の研究者はそんなことは少しも考えず、ひたすら好奇心の趣くままムダな研究を続けたのであった。

このようなことを経験してきた科学者は、最近では「科学の研究は当初はムダなように見えるが、いずれ役に立つようになるかもしれない。量子力学が良い見本ではないか」と言っている。この言明は事実なのだが、実際に「役に立つこと」を匂わせて自分たちの研究を認めさせようしていることに、私は同意しない。はっきりと「私たちの学問は（金儲けやイノベーションの）役に立たないが、ムダではない」と言うべきだと思っている。私が専攻した宇宙進化論や物質の根源を探るクオーク理論などは実生活には何の役にも立たないことは明らかである。しかし、宇宙の果ては？　宇宙の始まりは？　究極の物質は？　など人々が抱き続けてきた疑問への挑戦であり、それは人類にとっての永遠の謎への挑戦と言えるだろう。そのような問に答えようとする試みは、ムダと言えばムダなのだが、人類はムダを抜きにして生きられないことを示しているのではないか。

まったくのムダな科学

といって、科学研究にはムダは一切ないと主張しているわけではない。最初に述べたようにすごい数の論文が毎年発表されているのだが、その多くはほとんど読まれず、単に紙くずを作り出しているだけだから、ムダと言われても仕方がない。とはいえ、投稿された論文を、同じ分野の研究者がレフェリー（審査委員）となって査読後に雑誌に掲載している場合、その論文が幾分なりと他の研究者の参考になると認めたわけだから、完全にムダとは言えない。

問題は、レフェリーが存在しない雑誌、あるいは仲間内だけで甘い審査しかしない雑誌の論文である。この数年来、「ハゲタカジャーナル」なるものが科学の世界に出現し、かなりの顧客を集めている。論文の著者から高額の掲載料を得ることを目的として発行され、査読付きであることを標榜しながら実際にはまともな査読を行わない。低品質の論文を掲載するオープンアクセス形式（オンライン上で契約なしに無料で閲読できる方式）の雑誌のことである。まともな論文が書けずに論文リストを水増ししようという研究者が利用している。むろん、このような好い加減な論文こそ無意味であり、資源のムダ遣いであることは明らかである。

一般に「科学のムダ」な論文とは、論理が矛盾している、無関係のものを比較している、仮定が結果である、間に合わせの（アドホックな）議論である、というような論理学の初歩を満たしていない場合のことである。わざわざレフェリーに査読をお願いしているのは、このような無意味でムダな論文を排除するためである。

さらには、論理は通っているが、当たり前すぎて何ら新しい要素が含まれていない論文もムダと言うべきだろう。日本の科学力が落ちていると言われるのは、このような「間違ってはいないけれど、何ら新発見がない論文」ばかりが増えているためと思われる。何がムダであるかをしっかり吟味していないためと言える。

（「まなぶ」二〇二二年五月号）

8　加古里子の科学絵本

加古里子の科学絵本との出会い

私の娘が生まれたのは一九七三年で、当時通っていた保育園の勧めもあって「こどものとも」を毎月購読していた。それとともに『ぐりとぐら』シリーズや『ちびくろサンボ』などの単行本を買ってきて、毎晩寝る前に読み聞かせをした。確かに、これら絵本の名作は子どもの想像力を誘うのだろう、何度も読んでくれとねだり、そのうちに暗記してしまって、こちらが少しでも間違えたら糺すようになった。そうなると、私としてはいつまでも同じ絵本でもあるまいと考え、私の専門とする科学絵本も交えることにした。別に、娘が私の後を継いで科学者になることを強制しようとしたわけではない（心底では密かに願っていたのかもしれないが……）。

私がどんな科学絵本を買い与えたかを思い出すために、娘のこども（つまり私の孫）たちの本棚を覗いたら、加古里子（さく／え）の『かわ』がすぐに見つかった。初版発行は一九六二年で、私が購入したのは一九七三年六月三〇日版の第一六刷のものである。私は、まだ赤ん坊の娘では理解できないことを全く考えず、いい科学絵本だと気に入ってすぐに買い込んだものらしい。

この絵本は、毎月発行の「こどものとも」の一冊として出版された後、ハードカバーで「知識の本」シリーズとして発行されたものである（値段は三〇〇円）。この絵本の最後のページに掲載されている福音館書店の宣伝文では、「ふつうの観察絵本とは違う」と強調し、「ストーリーが科学性をゆがめることなく、科学性がストーリーをこわしていないところにその特色があります」と力説している。当時まだ「科学絵本」という呼称がなく、いささか堅苦しい「観察絵本」とか「知識の本」と呼んでいた。「科学」が「観察」や「知識」と同義語とされていたことがわかる。

もう一冊、大型のハードカバーの堂々たる科学絵本の『宇宙』が見つかった。やはり加古里子の作品である。初版が一九七八年十一月で、私が購入したのは一九七九年八月だから、娘が六歳の頃である。表紙に東京天文台（当時、現在は国立天文台）で計画中の口径四五mの野辺山電波望遠鏡が描かれており、まさに躍動し始めた日本の宇宙科学の雰囲気を伝えている。宇宙物理学（天文学）を専攻していた私にとって自分の専門のことでもあり、意気込んで娘に宇宙の話をしてやったことをうっすらと覚えてる（うんざりしていた娘の顔も……）。

加古里子は、この『かわ』と『宇宙』の間に、『海』と『地球』という科学絵本を出版しており、私はこれらも購入したはずだが、孫の本棚には見つからなかった。この原稿を執筆する機会に購入して読み返してみたら、ところどころ四〇年前の記憶が残っており懐かしかった。私にとって、科学絵本とは加古里子の作品なのである。

加古里子の五部作

『かわ』から始まり、『海』、『地球』、そして『宇宙』へと、加古里子は近くにある小さなものから、遠くの大きなものへと、連想ゲームのように書く対象を拡大してきた。その手法は、各々のテーマについても共通しており、身近なものへの視点から遠くのものへの視点へ、バラバラの知識から統合化された知識へ、狭い世界の動静から広い世界の様相へ、というふうに科学の世界が採用している方式と同じである。私たちがよく知っている日常から出発し、さまざまな器具や実験装置を使って見えないものを見えるようにし、さらに本来的には見えないけれど、理論の力によって見える＝わかるようにしてきた。そんな科学の発展をたどるように、加古里子は未知を既知にしてきた人間の知の営みを、科学絵本を通じて提示してきたのである。

そして、これら自然界のあり様の全体像を一覧した上で、加古里子は一九九五年に『人間』を上梓している。これで「天地人」が揃ったというわけである。それまでに、『かわ』から『宇宙』までの四部作にもさまざまな生き物を登場させて、どれもが自然界の重要な一員であることを示してはきた。しかし、やはり地球に生き、宇宙に展開する人間を客観的に見直し、人間を総体として検証することが必要だと考え、五冊目の『人間』へとたどりついたのであろう。実際、これをまとめるために一七年もかかったと「あとがき」に書いている。一九七八年に『宇宙』を書き終えてからとりかかり、これだけの時間をかけた労作であることがわかる。

まず生命が生まれる以前の地球の生成と進化の話から始まり、その後生命が誕生してからも地球上でのさまざまな生物種の変遷があった。人間の登場までの長い間、地球上では天変地異と生命との確執の時代が続いたのである。やがて人間が生まれ、個々の人類の進化過程での集団生活があり、死と生の認識を通じて芸術や宗教の発祥へと話題が展開していく。こうしてみれば、『人間』は、それまでの作品の集大成と言える。

以下では、最初に加古里子の足取りを追いかけ、続いてこれらの五部作の意図と狙いを、彼が各書の最後に記載した文章から探ることにしよう。

加古里子の科学絵本への足取り

『かわ』とそれ以後の四冊との間に、加古里子の科学絵本についての取り組み姿勢が大きく異なっていることに気づく。確かに『かわ』は、無着成恭（むちゃくせいきょう）の推薦の言葉にあるように「川を全体的にとらえた画期的な絵本」ではある。山に降った雨が集まって河川の源流を成し、上流から下流へと下っていくとともに、人びとの川の利用形態が変わり、また川周辺の光景も変化していく。その中で、川が人びとの生活とどう結びついているかを全体的に捉えようとする姿勢は後の作品とも共通していて「画期的」ではある。しかし、通常の絵本という範疇から一歩も出ていない。川の始まりから海に合流するまでの物語を提示したに留まり（それはそれで素晴らしいのだが）、絵本を共に読む親子の対話につながる材料に乏しいのである。もっと川のことを勉強するための手がかりを与えるとか、登場する動物・植物・雲や風などの自然現象・水車や

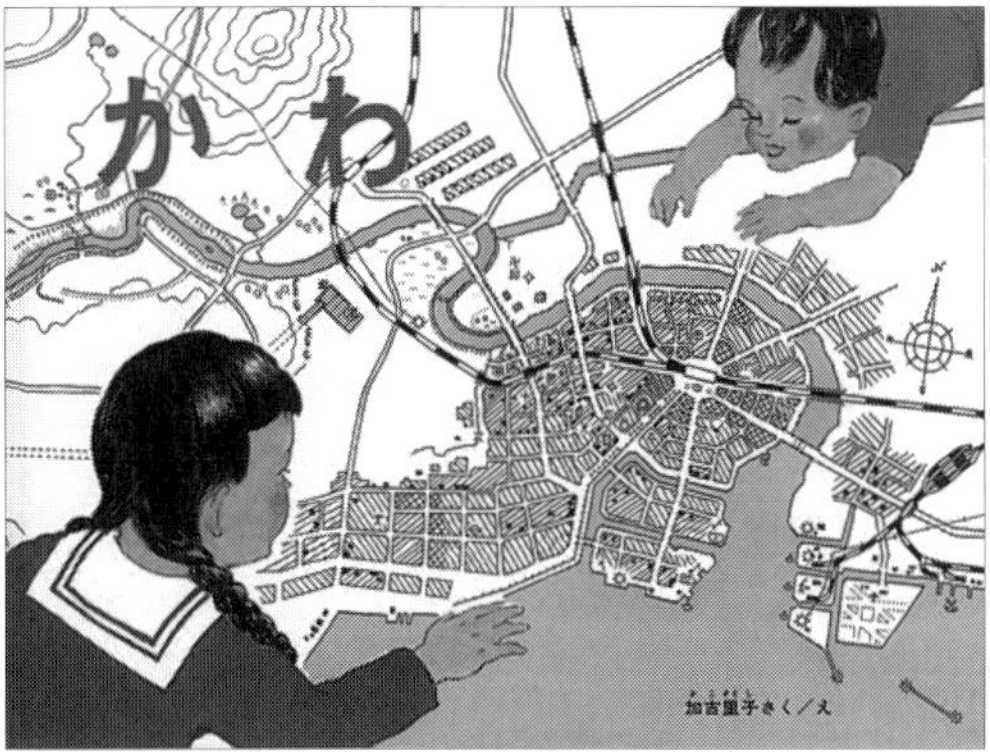

加古里子『かわ』（福音館書店，1966）

橋などの人工物などについて「道草」をするとか、話題が広がっていく科学絵本らしさと言うべき要素がないのだ。最初の科学絵本だったこともあり、いささか余裕に欠けているのである。

それを反省したのか、『海』『地球』『宇宙』には著者の「解説」が加えられていて、各作品に込めた思いが書かれている。どこにポイントを置いたか、どう読んで欲しいかを〈各場面の解説〉としてまとめているのである。もっとも、『人間』では「あとがき」に留め、著者の意図を簡明に記すとともに、各場面のメモも簡略化して押し付けにならないよう配慮している。

事実、『海』では各場面の解説をくどいくらい詳しく書いているのだが、それ以後では異なってくる。『地球』では、「二つの流れと年で」として、二年間の季節変化という時系列の流れと結びつけた解説として集約する。『宇宙』はさらに工夫して、「二段打ち上げの絵本」と称し、第一部では地球上のさまざまな生き物と人工物との比較を行い、第二部で太陽系から宇宙の果てに至るまでの宇宙の構造を説く、というふうである。生物と天体の特徴を明示して各場面の説明を短くして、とっつきやすく工夫する。そして、『人間』では、「三部二三場面による構成」と、思い切って簡略化した絵本作りの手段と方法を示すのみとしているのだ。加古里子の科学絵本作りへの取り組みの姿勢と試行錯誤ぶりが読み取れるのは興味深い。

それとは別に、「画期的」と強調すべきなのは、『海』以後の四部作のすべてに「さくいん」が付いていることで、なんと各巻について一〇〇〇を超える項目・名称・字句が、どのページで登場したかの一覧として提示されているのである。索引は科学書として備えるべき必須の条件であり、「科学」絵本として面目躍如と言うべきだろう。項目を見ると、えんぴつ、音、自転車、ハガキ、マツ、りゅうしなど、何の特徴もない字句まで引かれている。こどもたちが少しでも疑問やこだわりを抱いて引っ掛かりそうな言葉を、作者（と編集者）があえて丁寧に拾い上げたことと想像される。

加古里子の意図と狙い

『海』

その解説に、「これだけは描きたい、日本のこどもたちに伝えたいと、この絵本に託したもの」として、次の三点を挙げている。

（1）「（海を）部分ではなく、全体像として提示」すること。言い換えれば、「片々たる個々の現象でなく、大きな基盤と柱をつかむ」こと

（2）「海が持ち、包含し、関係している有機的な様相、動的な関連性を総合しつつ整理し、一段進んだ理解を得たいと試みた」こと

（3）「自然に対し、勇敢に働きかけ、知恵と努力によって開拓してきた先人の業績と精神を学びとり」、「はるか昔と、未来社会との間におかれている海洋の今日的意義を感じとるよすが」にして欲しいこと

加古里子『海』（福音館書店 , 1969）

（1）俯瞰的に全体をつかむことを主目的としながら、（2）さまざまな結びつきや関係性を明らかにすることによって海の営みへの理解を深め、過去の冒険者や科学者の営為と知恵を学ぶとともに、（3）かけがえのない海を未来に手渡すために、現代の私たちがなすべきことを考えてみよう、というふうに整理できるだろうか。これらは、私が科学の解説書を書く際に心することであるが、なかなか三拍子を揃えることは難しい。加古里子の創作手法は、この『海』だけに限らず、どんな対象にも共通する。

『海』では、空を飛ぶ虫や鳥や海中の生き物を大きさを含めて克明に描き、様々な漁法を紹介し、深海探求の船名や海外との交流の歴史にまで及び、というふうに話の展開とは関係しない部分も正確に記述し描写する。これは、こどもたちだって絵本を広げて見る中で、どこに興味を持ち、どこをもっと調べたくなるかわからないのだから、たくさんの材料を提供しておこうとの配慮の結果なのである。

『地球』

この解説では、「過ぎ去った物事の跡を静的に追うだけでなく、今日までの道筋は、当然これからの将来へ伸ばし発展させるべき」との基本的な考えの下、「隠れた部分を探究して考究する方に大きな意義がある」と感じていた。そのため、「地表のさまざまなことの基盤、根源としての「地球の内部」、とを描こうとした」と書いている。この本が書かれた当時（一九七〇年代前半）は、実際に地球の研究が隠れた部分である内部に焦点が当てられ、プレートテクトニクスによる地震や火山のメカニズムが明らかにされつつある時期であった。

そのような時代的影響を受けたのだろう、本書の後半部において、地球の長い歴史の過程で形成されてきた地層、大陸の隆起・沈降、マグマと火山爆発、プレート運動と地震など、新しい知見によって得られた変動する地球の姿を提示している。おそらく、最初からこのようなダイナミックな地球像ならば読者の共感を得られないと思ったのだろう、書き方に工夫を凝らしている。まず前半部では、多くの恵みをもたらしている豊かな自然としての地球を提示している。膨大な数の草花・昆虫・キノコ・地中動物など地球に生きる仲間を、すべて大きさ付きで描いているからだ。また、都市には地下鉄・デパート・高層ビルなどが建造されている。そのような地球の姿を見つつ、後半部では、直接みることができない地球の遠い過去や内部構造について、研究によって明らかにされてきた話題を提示する。このような手法を、加古は「(a)連続した飛躍、(b)各種の対比と傾向、(c)環境といろいろな関連や連想」とまとめているが、まさにこの三つが巧く組み合わされていて見事な仕上がりとなっている。

この解説の最後の部分で、「私自身の三つの自戒」として、加古里子が科学絵本を書く上でこころがけている三つの要点を示している。それらは、(1)面白くて、(2)総合的で、(3)発展的、ということである。

加古里子『地球』(福音館書店, 1975)

(1)の「面白い」ということは、自分を積極的な行動に駆り立てる最も大事なエネルギーであり、それは必ず、内容が深く、次元の高いものに興味を発展させ、昇華してゆくと考えている、あるいはそうあるべき、そうありたいと自分を励ましているのである。(2)の「総合的」とは、個々の分野を深く精緻に描くのは他の人に任せ、自分は本質や全体像を明示することを目指したいという意味である。日本の科学・技術は、総合力の無さや学会の断層が多いために細分化されてしまっている、という科学者にとって耳の痛い批判が根底にある。(3)のように「発展的」の内容は、今日の科学・技術を静的に提示するだけでは不十分である。なぜそのようになってきたかを問う姿勢、その延長に未来があり、どう臨むべきかを考える態度を養わねばならない。そうした科学観や社会を見る観点、未来への洞察というような視点こそ「将来に生きる子どもたちのための本として不可欠」と考えているためだ。

この(1)(2)(3)を心がけてはいても、なかなか三つ同時に満足させるのは困難である。加古里子のように何年もかけて取り組んで実践してこそ、やっと満足できるものが書けるのかもしれない。

『宇宙』

彼は『宇宙』を構想してから完成するまで十年もかかったと告白し、どうしても取り上げたかったことは何か、なぜそんなに時間がかかったか、を思い返して次の三点が心に残っていると書いている。彼が、科学絵本を創作することに対して、いかに誠実であったかわかろうというものである。

(1) 宇宙を対象にすると、わからないことがまだまだ多くあって絵空事や架空の物語になりがちになる。そうしないために、科学としての見識と態度を忘れず、最も大きな空間と最も長い時間の流れを正しく取り上げ、正攻法で叙述し、真正面から描こうとした、と回顧している。難しい概念やテーマであっても逃げずにきちんと取り上げ、わかりやすく表現することに時間を費やしたというわけである。

(2) 歴史観として、人々の素朴な発展への要求や願いがさまざまなことに挑戦する原動力となっているという観点がある。その結果として、実際に人間の能力が向上し、さまざまな障害や困難を克服してきた。そのような個人の知恵や人間集団の努力の結果としてもたらされたのが人間の歴史である。そのことを子どもたちに学んで欲しいと願っている。より高速の乗り物、より高い建築物、より強靭な物質など、人間がより高い目標を掲げて挑んできたために現在があることを、さまざまな例で示したかったのだ。

(3) 人間の宇宙に関する理解や認識も、単純な星の運行の観察・調査から始まった。やがて、それが宗教的な世界観や政治上の遊び事を乗り越えて科学として確立し、巨大総合科学となっていく様子を知って欲しいと願った。一九七〇年代は、新しい観測機器が数多く開発され、人工衛星が飛び交うようになって、宇宙の研究が急速に進展した時代である。それらを追っかけて何がわかったかを子どもたちに知らせたいと思ったのである。

続いて、実際に科学絵本として展開する際に心がけたこととして、

(a) 全体を貫く主軸や大局的流れを、文章的にも絵画的にもはっきりさせつつ、その骨格を取り巻く肉付けを、可能な限り多様で潤いのある細密なもので彩ること

(b) 終末に導いていく無理のない連続性と読者の理解可能範囲での飛躍を共存させながら、過不足のない描述を行うこと

(c) 末梢的なくすぐりやギャグではなく、真の理解が喜びとなり、求めていた新たな知識の吸収が楽しさを生み、その面白さが次の能動的な行動を誘うよう努力すること

の三点を挙げている。さまざまな人から批評され、問いかけられるのに対し、どう応えるかをじっくり考え、自分として何を重要視して書いているかを確認するためにまとめたもののようだ。これまでに少しずつ異なった表現だが、「託したもの」(『海』)、「手法」「自戒」(『地球』)、「心がけ」(『宇宙』)で語っている事柄は本質的に共通しており、加古里子の作家精神のエッセンスはここに表れていると言ってよさそうである。

それを具体的に述べたのが『宇宙』の解説にわざわざ付け足している「お願い」である。その一つは数字について、①歴史的数字、②科学的データとしての数字、③おおよその傾向・動向・目安としての数字、の三種類を使い分けしているという。その理由は、(1)個々の数字の背景には努力や苦闘の集積があること、(2)数字の流れが科学や人間の能力の発展とか生物

進化という大きな時間的推移を表していること、である。そのことに留意して数字を考えて欲しいというのだ。

もう一つのお願いは、画面処理の色彩や描法に関わることで、可能な限りリアルな（正確な）画法を使っているが、もっと分かりやすくできる場合には、リアルでない他の方法を使っていることに留意されたいということ。例えば、距離や高さは等目盛りではなく少しずつ短くなる目盛り、昆虫・動植物・人工衛星・天体では相互の比較を重視して誇張をしている。棒グラフ表示の場合は傾向のみを示したり、空間の色合い変化を加味した画面処理を施したり、宇宙の構造の平面表示では簡略化したりしているなどである。

三つ目のお願いは、兵器や武器を描いているのは、軍事力を認め強化させようという意図ではなく、過去の科学や技術の発達には軍事的な要請が大きく影響してきたためである。特に、宇宙開発においてはそれを無視できずに記録した、ということを理解して欲しいということだ。

加古里子『宇宙』（福音館書店，1978）

以上の三つの「お願い」は、これまでにさまざまな質問や問い合わせや詰問があったためにあえて付け加えたのだろう。数字の正確度に極端にこだわる、グラフ表示が間違っている、図の色合いが現実を反映していない、兵器や武器を記載するのは軍国主義的だ、というような非難などが多く寄せられたためと想像される。科学絵本では、文章（ひらがな、カタカナ、漢字交じり、英語など）と絵柄（色合い、形態、サイズ、縮尺など）の両方に神経を使わなければならない。図の描きようから思想性まで判断されかねないので、実に気をつかっている。

『人間』

ここには「あとがき」が付いていて、前の三冊の「解説」に比べて簡潔であり、「さくいん」の項目も減らしている。ようやく、科学絵本としての自分なりの体裁が整ってきたのであろう。『かわ』から『宇宙』に至る四部作は、「より大きな対象を、より広い視野と、より深い総合性で」という意図の下で描かれてきた。その延長線上にある『人間』においても、「生きた総合体としての「人間」を前向きの姿勢で描くことにした」と「あとがき」に書いている。そして、それを達成するため、

（第一の柱）最近の、確かな科学の知見と立場を拠り所とすること。科学の知見を柱とするため、宇宙の始まりから人間の諸問題すべてを、科学という「知」の力に委ね、神話や伝説・伝承などの安易な想像や寓話を排し，反科学や非科学の立場を採らないようにする

〈第二の柱〉人間に関わる基本事項の理解と判断を、「生命の設計書」という表記とその内容に依って進めること。ここでは、DNAが「一覧できる生命の形」としての設計図なのだが、変化する部分や時間によって変動する性質も含めて、「記述された収録」という意味で設計図と表現する

〈第三の柱〉人間は地球生命の一種に過ぎないのだから、人間至上主義を採らないこと。「進化」という概念には人間を至高と見做す価値観や傾向が付きまとっているから、「進化」と言う代わりに「展開・変化・多様化・顕在化・発展」などの言葉を使う

という三つの柱を立てることにした。そのため、「人間のすべて」を「最も重要な点をゆっくりと、画像と文章で繰り返して読者に伝える絵本形式とするための選択と圧縮に十年以上を費やした」と書いている。加古里子の創作の苦労が、この一言に集約されているかのようである。

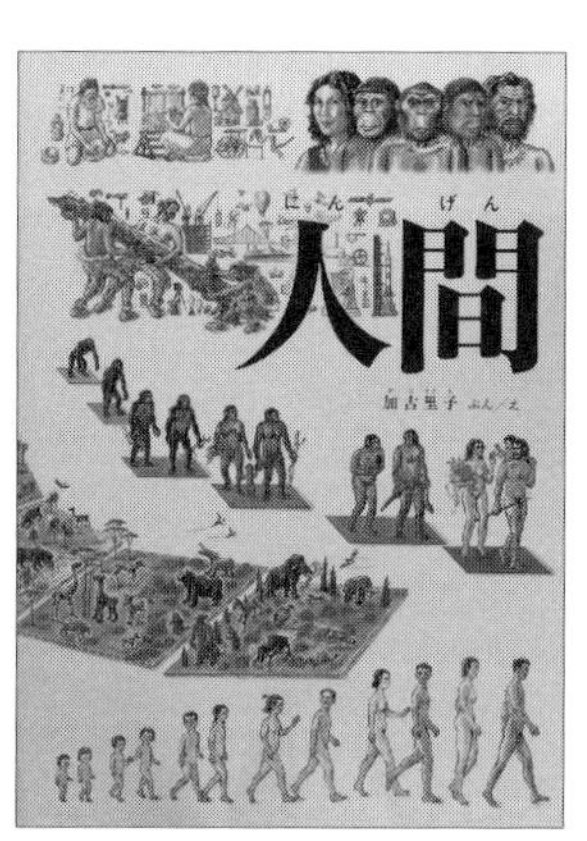

加古里子『人間』（福音館書店，1995）

加古里子と新しい博物学

以上、加古里子の創作術を彼の作品の「解説」や「あとがき」でたどってきたが、最後に彼の作品に

付け加えて欲しかったことを書いておきたい。

私は数年前から「新しい博物学」と称する、科学知と人間知を結び付けた物語を紡ぐ試みをしている。一例として、フグ毒を取り上げてみよう。一方で科学知としての、フグ毒の由来や化学や治療法などを取り上げ、他方で人間知としての、フグを廻(めぐ)る芭蕉と一茶と蕪村の俳句を比較し、清少納言と紫式部との間の確執の由来をフグ毒との関係で察知するというものだ。科学の知識とともに文学や人間に関わる話題を交え、ひと続きの「フグ毒物語」という織物が編めれば面白いのではないかと考えたのである。これを、さまざまな科学の対象について集めると、難解そうに見える科学であっても誰もが親しめるようになるのではないだろうか。

畳み掛けるように語る加古里子の科学絵本に、「新しい博物学」の要素を付け加えればどうなるであろうか。彼の科学絵本を読みながら、ちょっと中休みして一息ついてぼんやり空想したことであった。


（「現代思想」二〇一七年九月臨時増刊号）

9　安野光雅の世界 ――遊びのある科学性

最初の小さなエピソード

ＮＨＫ－ＦＭ放送の名物番組に、はかま満緒（みつお）が司会する「日曜喫茶室」があった。喫茶店のマスターであるはかまの軽妙な司会と、マスターに忠実なウェイトレスの的確な番組の紹介で始まり、いつも入り浸っている常連客のユーモアたっぷりの世間話が続く。そして、ふらっと店に入ってきた多彩なゲスト（通常は複数）の蘊蓄（うんちく）を傾けた話に広がり、その合間にゲストのお薦め曲が流れるという次第である。日曜の午後のひとときを、文化への好奇心と人間賛歌に富んだ対話を愉しむという番組で根強い人気があり、はかまが急逝するまで四十年近くも続いた長寿番組であった。常連客の一人が私の兄の池内紀で、彼が推薦したのだろう、私も二度ほどゲストで登場したことがある。そのときの常連客は科学好きの安野光雅（これから安野さんと呼ぶ）で、以来何度か彼からの「電話相談」の回答役を仰せつかった。

安野さんは宇宙のことに疑問を持つと、矢も楯もたまらなくなって電話で質問したくなるようであった。「池内さん、専門家は宇宙は無限だと言うけれど、どうして無限だと言えるのですかねー？」と、挨拶もそこそこにすぐに質問が飛んでくる。無限は、彼がストーン・ブレーン（石頭）博士の著作『集合』（一九七四年、ダイヤモンド社）を翻訳して以来、ずっと脳裏を去ることがなかったのだろう。宇宙空間の無限の拡がりという、数学の無限集合とは異なる概念に「不思議」を感じて問いただしたくなったに違いない。

またある時、「なぜ、春分から秋分までは一八四日なのに、秋分から春分までは一八一日で、同じになっていないのですかねー?」という問いを投げかけてこられた。「それは地球が楕円軌道をとっていて……」と面積速度一定の法則を話そうとしたら、「ああそうか、近日点が冬になっててそこでは速く動き、夏に遠日点が来るとゆっくり動くためか」と説明する間もなく納得し、もぞもぞと説明しようとする私にはお構いなく「何とも天体の法則は美しいものだ」と宣って電話を切られた。

安野光雅さんとの、ほんの短い期間の、ささやかな遭遇の小さなエピソードである。

「合理精神を標榜する私」

安野さんは極めて科学精神が横溢した画家であり、文筆家であり、数学の愛好者であった。実際彼は、「迷信はもっとも忌むところ」とか、「魔術を忌み嫌い、軽蔑し、冷笑し、敵とさえ思う私である」と書き、「神仏もキライ」と広言する科学主義者であった。彼は不合理なことを崇めたり、それに振り回されたり、騙されたりすることを徹底して嫌うからだ。「合理精神を標榜する私」と自分自身を定義しているように、科学的な発想から出発し、合理的な思考を貫くことを信条として生きてきた。一九二六年生まれだから、幼少時代から青年期に至るまで、軍国日本の不合理な精神主義の雰囲気の下で育ったことに対する反発・反駁(はんばく)・反抗の気分があったのではないかと推測している。実際、彼は『絵のある自伝』で幼いころからの自分が辿ってきた道程を回想しているが、そこには軍国主義を静かに告発した場面が多く見られる。それとともに、安野さんの科学的精神は、何か現象を見たときに「なぜ」と問い理由を考えたくなる、考えずにはおれない、そんな生まれつきの性分に由来するのだろう。

もっとも、科学主義を標榜する安野さんではあるが、四角四面な科学主義者ではないことは誰しもが認めるところである。先の「魔術を忌み嫌い、……敵とさえ思う私である」の文章は、「(そんな)私であるのに、魔女、錬金術、星占術、迷信などの民俗学的世界にうしろ髪をひかれる」と続いていて(『算私語録Ⅱ』)、非合理の中に生きている人間の律義さや多様さも合わせて呑み込む必要があると考えていたことがうかがえる。「魔術・占星術・錬金術などと、迷信を背景に持った中世絵画の稚拙さは、あこがれてやまぬ私の古典だが、その非科学性は、私のもっとも忌み嫌うところでもある。その分裂した二つの状況が、そのまま私の中に共存し、高揚する」(『起笑転結』)と明確に述べてもいて、科学性と非科学性の双方を慈しむことを通じて、自らの創作意欲を湧き立ててきたと言えるだろう。むろん、呪い・祟り・怨念・狂信・神秘など、おどろおどろしく人間を苦しめるものは断固拒否する。しかし、時には魔術のバカバカしさを礼賛もする。それによって千里眼や超能力の手口を知ることができるためである。

だから非合理の存在を排除せず愉しむ、ときには非合理と共存する。しかし信じ込まない。

時代が背負っている旧来からの非合理を受容せざるを得ない人たちを切り捨てたくないのである。彼は神社に、お百度参りの数を算（かぞ）える小さな箱が備え付けられていることを目撃し、回った数を算えながら、急な石段を裸足で上り下りをしている人の必死の姿を想像する。科学的に言えば、お百度参りなんて何の意味もない。単に自分の気休めのための行為に過ぎないのだけれど、祈りの言葉を呟きながら身をかけて歩き続ける人の気持ちを全否定しない（『算私語録』）。そのような必死の行為が報われると信じた時代があったことを思い出し、その心根のやさしさを失ってはならないと心に決めているためでもある。

また安野さんは『天動説の絵本』で、人間にとっての科学の知識の意味を問いかける。この絵本のほとんどには、天動説が信じられていた中世の人々の生き様が坦々と描かれている。悪魔や悪魔の召使である魔法使いが悪さをしてペストを流行らせて死をもたらし、錬金術師が欲張りな人を騙して金儲けをし、領主は不老不死の薬を求めたが失敗する。小さな日常世界を生きる人々は自分たちは宇宙の中心にいるということを疑わなかった。世界は閉じていたのである。やがて、地球は丸くて自転しており、さらに太陽の周りを回っていると勇気をふるって主張する人が現れ、船乗りが地球を一周することに成功する。こうして地動説が正しいことが証明されるのだが、人々の生活は何ら変わることはない。田畑を耕し、羊を飼う生活にとっては、天動説であっても地動説であっても関係ないからだ。では、地動説を知り、天の運動を把握するとはいかなる意味があるのだろうか？

安野さんは、この絵本の「解説とあとがき」において、「知っていることと、わかっていることを区別して考えてほしいのです」と、子どもたちに絵本の読み聞かせをする大人たちに語り掛ける。「地動説が本当にわかっていれば、天動説時代の迷信である魔術や占星術を信じていてはならぬはずです」と述べ、地動説は天の運動に対する単なる新知識ではなく、自然一般についての科学的な見方を体得したことを象徴する言葉であると言う。つまり、「地動説がわかるということは、たんに前に述べた、天体の動きのしくみが説明できるということではないのです。それよりも、天動説時代に人々はなにを考え、どのような暮らしをしていたかを理解することができるかどうか、ということです」と。以前と同じように田畑を耕していても、自然を見る目が根本的に変わることが大事、それが科学の重要な役割というわけです。この絵本によって安野さんは、広く文化としての科学は人類にとってどんな意味があるのかを考える材料を提供しているのである。

安野さんがコチコチの科学主義者にならなかったのには、若い頃小学校の先生をしていたときの苦い経験があったからだ（『絵のある自伝』）。その頃科学主義者であった彼は、理科の時間に校庭の桜の花をとってきて、黒板に桜の花の断面図を描き、花にはすべてオシベとメシベがあって、オシベの花粉をメシベが受けて子房がふくらみサクランボになる、と得々としゃべったのであった。ところが、ある子どもが教室に活けてあった八重椿を指さして「あの花にはオシベがない」と言うのである。そんな馬鹿なことはないと思いながら花びらをめくってみたら、確かにオシベがなく、メシベしかなかった。オシベは花びらに変化したためで、花粉の媒介では子孫をつくらない種もあることを当時の安野さんは思い至らず、詳しく観察していた子どもに教えられたというわけである。科学的な事象はすべて画一的なものではなく、例外があったり、便法があったりする。そういえば、「七重八重花は咲けども山吹の実の一つだになきぞ悲しき」という和歌があったことを思い出した。この経験によって安野さんは四角四面な科学的発想から自由になったのである。

科学的表現のテクニック

安野さんは、互いに対立する、似てはいるが異なっている、一見無関係と思われる、相互に補い合う、といったような二つの言葉を取り上げ、それらの言葉が含意する概念の共通性や異質性を浮き上がらせることによって、語る内容のイメージを豊かにする。いわば科学的表現のテクニックを駆使した文章が多い。これは、類似した図形や全く異なった図像を並立させて、描写する対象の印象を強調する絵画の手法に似ているのかもしれない。

その第一は、オスカー・ワイルドの「自然は芸術を模倣する」という言葉になるだろうか。安野さんはこの言葉を何度も引き（『空想工房』『狩人日記』など）、アレコレ議論して、芸術の本質を抉り出そうとしているからだ。この言葉そのものは、「自然」という人為に依らない森羅万象を構成する物自身と、「芸術」という人間が技芸を駆使して創造した表象物との、いずれが世界認識の本質であるかを問うた言葉なのだろうが、これを取り上げて科学的なメスを加えようというわけである。通常は、客観世界たる自然を前にして、人間がそれを模倣して定着させたものを芸術と考えるのだが、それを逆転させたのがワイルドの言葉である。先人が残してくれた芸術は自然が模倣するくらい素晴らしい、がこの言葉の最も単純な解釈となるか。私たちが認識する自然は芸術によって表現されたものに外ならない、と解釈してもよさそうである。芸術は自然の一部を凝視し、記号化して表現するものだが、やがてそれを実物として認識し、そこに美が存在すると学んできた。だから、私たちのものの見方や考え方は、自然の写真的「事実」に即するのではなく、絵画として表現された自然の「真実」に基づいて形成されると言えるのかもしれない、とは安野さんの思案である。

ここから安野さんは、「事実」と「真実」という二つの言葉の含意の違いは何かを考えようと提起する。写真で撮った自然の風景は「事実」を表しているが、そこから自分が美を感じたものを凝視して切り取った芸術は、唯一の表象となって「真実」となる。この「事実」から「真実」へと転化する過程において重要な役割を果たすのが「情報」である。美意識という情報が加わって選択が生じたからだ。しかし、虚構は真実の真似をし、真実は虚構の真似をするから、情報から真実と虚構の双方が生まれ得る。絵は事実と真実をつなぐ情報なのである。だから「絵は窓」と言える。人々は絵を通じて窓の外の世界を認識し、絵でものを考えるのだから、まさに「自然は芸術を模倣する」ことに外ならない。このように芸術として表現された先人の感動を自分のものとすることが創造なのだ、というふうに二つの言葉を軸にして安野さんの思索はどんどん広がっていくのである。

もう一つ、デカルトの有名な「われ思う　ゆえにわれ在り」の言葉から連想の輪を広げて思考の科学につなげている（『ＺＥＲＯより愛をこめて』）。ここでは、心が「思う（想い）」ことと頭が「考える」ことの相違と相互補完関係を考えてみようと提起する。「思う（想い）」は欲求であり、まだ曖昧ではっきりしない内容を含んでいるが、「考える」は意志であって説明がつけられ、さらに言葉や映像で次第によりはっきりした描像に変化していくという本質的な違いがある。あるいは、「もしも〇〇だったとしたら」との「思い」は不合理があってもいいが、「するとどうなるだろう」と「考える」ことで、その思いが理にかなっているかを確かめ、それを交互に繰り返しながら人は生きている。いわば、「思い」は白い環でフィクション（虚構）として現れ、「考え」は赤い環でノンフィクション（真実）として顕現し、この白と赤の環二つが一組になって長い鎖を形成しているのが芸術なのではないか。下手な「考え」の場合は鎖が短く、たとえ長い鎖であっても「考え」の裏付けのない甘い「思い」の環であれば鎖はそこで断ち切れてしまう。だから、「われ思い考える　ゆえにわれ在り」と言うべきではないか、とまでは述べていないが、安野さんは科学的な芸術表現はそうあるべきだと提起したかったのではないだろうか。

その他、安野さんがこだわった二つの言葉に、欲求と空想、空想と妄想、常識と良識、虚構と真実、美しいときれい、言葉と絵（イメージ）、デジタルとアナログ、自然と芸術、科学と芸術、理科美術と創造的美術、代数と幾何、手品と魔術などがある。ふだん何気なく使っている二つの言葉を縒（よ）り合わせ、その意味を考えるなかで、より豊かな内容を探り当てようとの意図が感じられる。たとえば、「言葉」は間接的・知性的・直線（一次元）的・論理的であり、いわばデジタル表現であるのに対し、「絵（イメージ）」は直接的・感覚的・平面（二次元）的・直感的で、アナログ表現に対応する。先に述べたように人間は「絵（イメージ）」でものごとを考えるから、絵は「事実」と「真実」とを結びつける「情報」でもある（『空想工房』）。こういうふうに、さまざまに使われる言葉が相互につながっていると説明されると、なるほど納得する。安野さんは科学性に裏打ちされた優れた文章家なのである。

数学好きの源泉

安野さんは数学の達人と言ってもいいかもしれない。その出発点は若い頃に経験した「三角形の内角の和は一直線（二直角）になる」という単純明快な真理にあるらしい。自然が隠していた法則の美を人間が発見したことに感激し、不思議と驚嘆が混じった気持ちが心に刻みこまれたのだ。彼は「この真理は涙が出るほどの感動をもって受け入れていい」と言い、「その感動を私は理解と呼びます。その理解は創造と同じ意味です」と書いているから（『空想工房』）、絵を描くのと同じ熱意をもって数学と接したと言っていいだろう。安野さんが出された本には、たとえば相対性理論のような物理に関連するものは数少なく、数学（数学者）に関連する本はいくつもある。これには理由がありそうである。実際、数学者と対談し（『数学大明神』や『美の幾何学』など）、数学者が書いた本の装丁や挿絵を担当し（『すうがく博物誌』『数学の広場シリーズ』など）、自分自身が算数・数学の絵本を多数手がけている（『かず』『じゅんばん』『石頭計算機』『集合』など）。数学には論理的で余分なところが少しもなく、すっきり理解できることが創作活動とよく似ていたためではないか。

その数学と絵画が結び合うのが遠近法だろう。節穴（ピンホール）を通して差し込む光がもたらす光景と、逆に節穴から除いて見た遠景の差異、そこから三次元的な奥行きのある景色を二次元平面に描き出す遠近法が生まれてきたと考える。遠近法とは単純に言えば視覚の重層性を取り入れたもので、近くは大きく遠くは小さく、近くはくっきり遠くはぼやけ、近くは詳細で遠くは曖昧、近くは画面の下で遠くは画面の上、というふうな遠近の初歩的表現から出発し、ルネサンスを迎える頃に消失点が発見された。安野さんは、遠近法の発見以前は主観的で動的な像を芸術的・触覚的に描いていたが、遠近法発見以後はこれと対照的に客観的で静的な像を科学的・視覚的に描くようになった、と端的に要約している。つまり、視点が一つに定まり、感情的に特別に何かを誇張するのではなく、時間を止めて世界の光景の瞬間を残そうとしたのが遠近法の本質で、確かに絵画芸術に革命をもたらすことになったとの解釈である（『空想工房』）。

しかし、いかなる世界でも、ある「法」が確立されると、その「法」を誇張し、破り、逆らい、歪曲し、揶揄してみたくなるのが人間である。遠近法で言えば、視点が複数になり、部分が異常にクローズアップされ、複数の空間が同一面上に表示され、複数時間が流れてその前後が逆転する、というような描写が試みられるようになった。さらには、鳥や虫の目、天井や床下からの目、巨人や小人の目、裏表や順序の逆転、硬軟と強弱の逆転、落下・上昇とその逆行、伸縮率や捻じれの異常、拡大と縮小の組み合わせ、曲線的な立体交差、直線的な複数交差、丸が四角に四角が丸に、というふうに私たちの常識的な感覚とは異なった世界を生み出すようになる。それがピカソのキュビズムになり、エッシャーの奇妙な絵となり、安野さんの『ふしぎなえ』や『ふしぎなさーかす』となって結実した。安野さんは、『もりのえほん』や『安野光雅の画集』で謎を投げかける絵画界の反逆児として私たちを戸惑わせるとともに、科学の法則に忠実に従った『旅の絵本シリーズ』や『津和野』で私たちをほっこりさせもした。遠近法と反遠近法のいずれにおいても「法」の卓越した使い手になったのは、科学的に「法」を研究した成果であることは言うまでもないだろう。

例えば、地面に円を描くと、その内側と外側という区別ができ、円の内側は隠れ家となったり、トイレであったり、相撲の土俵にしたり、と状況の設定次第でいくらでも異なった世界を想像することができる。逆に、円の外側から内側を見て、また違った世界の光景を思い描くこともできる。このようにたった一つの円を描くだけで、多様な世界が想起され、美を創出する自由を満喫することができる（『起笑転結』）。この線が帯のようなものであった場合、それを一ひねりすると内側と外側の区別がなくなってしまい（メビウスの帯）、この二つを貼り合わせると内外の区別がない瓶となってしまう（クラインの壺）。ほんの少しの操作で全く異なった幾何学（位相幾何学、トポロジー）へと拡張していけることに、安野さんは大きな刺激を受け、冒険心を煽られ、不思議な絵の世界を展開して私たちを誘ってくれたのである。

安野さんの数学（幾何学）への強い関心は、セザンヌの「自然は円柱、球、円錐からできている」という言葉に何度も立ち戻って考察していることでもわかる（例えば『狩人日記』）。科学の原理主義者である安野さんだから、図形の基本形状を明らかにしたいと考えたためである。万物が原子の集合体であるように、とりあえず絵画における原子としての円柱・球・円錐の存在をセザンヌは指摘したと解釈する。とともに、セザンヌの言葉を、「二次元の絵画と三次元の現実世界を切り離し、描かれるべき構成要素は色と形に過ぎない」という悟りの言葉と受け取っている。画面の構成要素は色と形であり、それが創り出す「美の掟」とも言うべきものを考えねばならないと言いたかったのではないか。安野さんが強調したかったのが人間にそなわる動物的感覚である「美意識」で、大自然の造化の主が神であるとすれば、画面の造化の主はその作家であり、芸術における自由がそこに広がっていると考えたからだ。

最後の小さなエピソード

安野さんが、口うるさい人からある本の装幀を頼まれたのだが、デザインのアイデアが浮かばずに行き悩んでいたとき、満員電車で「天啓」を得たことがあるという。「電車にのっている多くの人の、いや世界中の数十億の人間の中に、一つとして同じ顔がない、というのはすばらしいことではないだろうか……」という「思い」がひらめいたのだ。「そのどれも、似たような面に、目が二つ、鼻が一つ口が一つ、それに耳が二つ、組み合わせの因子として決して多い方ではない。それなのに、相互の関係にはほとんど無限といっていい変化があることを、電車の中の顔が語っていたのである。私はもう一度、わからずやの注文主の装幀をやろう、とする勇気がでてきたのであった」と書いている（『わが友　石頭計算機』）。それ以来、装幀のデザインに悩むことはなくなったそうである。伸び伸びとして、ゆったり散歩している気分が横溢した、安野さんの街の風景画の秘密がここにあるような気がする。

（「ユリイカ」二〇二一年七月臨時増刊号）

10 「日本のコペルニクス」と三人の継承者

はじめに

コペルニクスが地動説を展開した『天体の回転について』を出版したのは一五四三年で、奇しくもポルトガル船が種子島に漂着したのと同じ年である。それ以来、日本には鉄砲・時計・望遠鏡など西洋が開発した先端技術が多数流入し、それらを使いこなして花火・和時計・遠近眼鏡・からくり人形など日本式技術へと昇華させた。他方、西洋の先端科学である医学・博物学・地理学・天文学は別の道を歩んだ。一八世紀前半における将軍吉宗のキリスト教関連以外の洋書輸入の解禁政策が採用され、交易が認められていたオランダからの文献を通じて急速に深化することになったからだ。それまでの先達であった中国からの儒教的学問を脱し、「蘭学」によって日本人の目がようやく西洋世界に開かれたのであった。

江戸時代の人々にとって世界とは、今生きている「この世」と、死後に行く「あの世」(仏や菩薩の住む清浄な極楽か、責め苦と煉獄の地獄)のみであった。また自分たちを取り巻く物質世界の成り立ちについては、動く太陽が陽で丸く(天円)、宇宙の中心にあって動かない静かな地球は陰で四角(地方)、その周りを五つの星(木火土金水)が回っている、という儒教の陰陽五行説によって説明されていた。日本人はそれ以上踏み込んで宇宙の構造や運動について興味を持たなかったのである。

とはいえ、一六五六年というかなり早い時期に、向井元升（一六〇九―七七）が『乾坤弁説』において天球地球説に立った地動説（地球自転説）を紹介していることは注目すべきだろう。そこでは「天は動かず、地球はただ円運動を続けるという説が有り、此の説が言うには、日月星は朝に東より出で、夕べには西山に入るように見えることは、天が東より西へ廻るためではなく、地球が西より東へ廻るためである」と説いている。地球の自転説で天の運行が説明できるとの言明である。ところが、自転によって地表の速度は一刻（二時間）で一三五〇里（五四〇〇km）にもなるから、地上の物体は薙ぎ倒され飛び散ってしまうだろうから、この説は虚妄であるとした。やはり「天動地静」の陰陽説が正しいというわけだ（地球の公転運動については何ら述べていない）。ともあれ、ほんの少しでも地球が動くことを考えただけ、向井玄升は日本人離れしていたと言うべきだろう。

一方、中国では西洋から訪れた宣教師から学んだ天文学が、例えば游子六の『天経或問』（一六七五年）として出版されており、それらの科学書は日本でも輸入されていた。ここにはアリストテレスの天動説とともに、ティコ・ブラーエによる太陽系の理論（地球は宇宙の中心に位置し、水星と金星は太陽の周りを回りつつ、それら全体は地球の周囲を回転するという、天動説と地動説の折衷説）が紹介されている。宣教師たちは当然コペルニクスの地動説を知ってはいたが、ローマ教会が厳しく地動説を禁じていたため、ティコの折衷説を紹介していたのである。その事情を知らない日本の天文学者は、『天経或問』になぜティコの複雑な説が取り上げられているのか、さっぱり理解できなかったであろう。もっとも、当時の日本の天文学は暦を作るために太陽や月や五星（木火土金水）の正確な位置と動きを観測する暦算天文学であり、それらの天体を地球を中心として記述することだけでよかったのである。しかし、蘭学が流入することによって新しい天文学に遭遇せざるを得なくなった。

日本のコペルニクス――本木良永

(a) 翻訳の苦労について

蘭学から天文学をひらく最初の人物が、長崎通詞（つうじ）（蘭語の通訳）の三代目の跡を継いだ本木良永（一七三五―九四）で、コペルニクスの地動説を日本に最初に紹介する栄誉に輝くことになった。杉田玄白（一七三三―一八一七）は、その著書である『蘭学事始』（一八一五年）において、長崎通詞を「通弁するだけの口舌の徒に過ぎない」と悪口を述べているのだが、長崎は蘭学移入の玄関口であっただけに、天文学や医学など最先端の科学の翻訳に率先して取り組んだのは長崎通詞たちであった。その一人が本木良永で、彼は天文学のみならず地理・医術・物産などへと興味を広げ、蘭語の翻訳そのものについて格闘し深い考察を加える努力をした人物なのである。

そのことを、後に述べる『太陽窮理用法記』の付録として加えられた「和解例言」に書き残している。そこでは「もとより、すべて適当な訳が見つかればよいが、あの言葉の意味はあのように、この言葉の意味はこうだろうと、その言葉の意味を推量してその大体を理解することができても適当な訳語がなく、正確に表せないことがある。また、蘭語の転用変化の意味について考え始めると、千言万語費やしても正しい翻訳ができそうにない。今、この書を理解しようとして、和漢の言葉の言い回しの決まりによらず、もっぱらオランダ語の文意に従って正訳・義訳・仮借の三方法を使い分け、略文を交えて表現することにしている。そうしなければ、オランダの言葉の意味を解釈するのが困難であるからだ」と述べている。転用変化とは原形の変化形のこと、「正訳」とは適当な漢語に置き換える通常の翻訳、「義訳」は意味を表す意訳、「仮借」はそのまま発音を記述した音訳の意味である。これらはオランダ語文法を把握し翻訳する上で欠かせない視点で、良永は蘭語の構造について詳しく研究した最初の人であった。

また、新しい用語を考案するにおいて、「オランダ語を日本語に翻訳するには、形状がある（形而下の）ものはその形によって名義を名づけることができるが、その他の無形の（形而上の）ものの言語についてはどのように表現すればよいのだろうか」と悩んでいる。実際、フィロソフィーを「智学」「儒教」「窮理学」などと訳文を挙げて、どれを使うべきか思案している。天文用語では、「ハストスクルレンを恒星と名づけよう。ハストは「不動」の意味があり、スタルレンは「星」に対応するから「不動星」ということになり、「恒星」と義訳（意訳）できるだろう。五星のことをトワールスタルレンと言うが、トワールは「惑う」という意味があるから、スタルレン（星）と合わせると「惑星（まどいぼし）」と正訳する」というような考察で、恒星・惑星という訳語を創り出したのであった。

(b)『天地二球用法』

良永は一七四九年に稽古通詞、一七六六年から八七年まで小通詞の末席・並・助・三人扶持（ぶち）を経て一七八八年、五三歳になってようやく大通詞（五人扶持）となった。当時の長崎通詞の筆頭であった吉雄耕牛（よしおこうぎゅう）（一七二四―一八〇〇）が若干二五歳で大通詞になったことと比べると、いかにも出世が遅かった。通詞のそれぞれの役職に定員があったこともあるが、どうやら良永は通詞としては「弁舌が不得手であった」らしい。しかし、彼は「学問に心深く、頭に白髪が混じる身になっても若い者と同じく学問への志を強く持っているのは素晴らしいことである」と、大槻如電（じょでん）（一八四五―一九三一）が『新撰　洋学年表』（一九二六年）に書いている。

本木良永は、フランス人のL・ルナールによって書かれた航海地図のオランダ語版のなかで地動説に出会い、一七七一年に『阿蘭陀地球図説』（翌年に増訂版『和蘭地球図説』）として翻訳している。そこでは「日輪（太陽）は天の中心にあって動かず、（略）日輪が動くように見えるのは地球がその周りを回るからである」と訳しているだけだが、地動説の日本最初の紹介である。そして一七七四年には、一六六六年出版のW・J・ブラウによる地動説の解説書『天地二球用法』を翻訳している。とはいえ、本木が訳したのは序文の一部のみで、本文にあるコペルニクス説の詳しい解説は紹介していない。その序文では、プトレマイオスの天動説とコペルニクスの地動説を対比的に描き、地動説について「太陽常静不動にして、地球は五星とともに太陽の周りを廻り、恒星天は止まっていて不動である。（略）およそ百年前、ニコラアス・コペルニキュスという人間が現れた。天文測量について比べる者がないくらいの人である。ティコ・ブラーエという者と付き合い、地動説の奥義を究め、深い暗闇の中から明るい場に移した」と書いている。本木は淡々と訳しているのだが、暗い中世というトンネルを抜けて、近世の明るい野に出てきたという思いが込められているような気がする（ティコの名を挙げているがコペルニクスと同時代ではない）。

良永は、これ以後、天体観測を利用した航海術、オランダの永続暦や万国地図書を翻訳したのみで、一八年に渡って地動説に関する翻訳を行っていない。しかし、長崎通詞の仲間では地動説が当たり前のように話されていたらしい。例えば、三浦梅園（一七二三—八九）が一七七八年に長崎に遊学して吉雄耕牛の家で天球儀（太陽を中心とした太陽系を含む天球の模型）を見ており、地動説を前提とした模型が日本に入ってきていたのである。これに強い印象を受けた梅園は、急いで大坂にいる旧友の麻田剛立（一七三四—九九）に地動説について問い合わせたが、地動説に疎い剛立からは、はかばかしい回答が得られなかった。そのため、梅園はそれ以上地動説を追及することを断念して天動説のまま自らの「条理学」に専念した。もし地動説の本髄を知っていたら、天動説に立脚して組み立てた条理学を根本的に書き直さなければならなかっただろう。

また、司馬江漢（一七四七―一八一八）は、一七八八年に長崎を訪れた初日に「おらんだ大通詞吉雄幸作（耕牛のこと）、同じく本木栄之進（良永のこと）」を訪ねている。その後も度々交流しており、その後の江漢の地動説への興味の持ち方の変化から、地動説が日常会話の話題になっていたらしいと想像できる。

(c)『太陽窮理用法記』

そして、いよいよ一七九二〜三年にかけて、良永が地動説を真正面から取り上げた『星術本原太陽窮理了解新制天地二球用法記』（本稿では『太陽窮理用法記』と略す）を翻訳した。これはG・アダムスによる英書『通俗基礎太陽系天文学』（一七六六年）をJ・プローズが蘭語に翻訳したものの重訳である。既にヨーロッパでは地動説が市民権を得ていて、販売用に制作した天球儀と地球儀に付けた英文説明書なのでわかりやすく、ベストセラーになって蘭訳されていたのである。これを入手したのが寛政の改暦を目論んでいた老中の松平定信（一七五九―一八二九）で、一七九一年に良永に翻訳を命じたのであった。

実は、その前年の一七九〇年に、定信はオランダ貿易を縮小する「半減商売令」を発したのだが、その法令を長崎通詞たちがオランダ商館向けに翻訳する際、厳しい取り決めの部分を抹消していた。これが発覚して（「誤訳事件」）、耕牛など要職にあった大通詞たちは身分剝奪の上、五か年の蟄居を命じられた。しかし、どういうわけか本木良永は同じ大通詞であったにもかかわらず、五〇日の押し込めに留められたのである。なぜ大通詞であった良永が軽い罰で済んだのだろうか。それはおそらく、定信が命じた重要文献を翻訳するにおいて欠かせない重要人物である良永を厳罰に処して活動を停止させるわけにはいかなかったのであろう、と推察できる。江戸の幕閣の間では、良永の才能が高く評価されていたのだ。

このことを薄々覚ったのであろう、良永が『太陽窮理解説』の翻訳に心血を注いだことは、弟子たちが「先生著訳中最難の書」とか「先生必死の書」と評していることからわかる。事実、大変な難物であって、その翻訳の苦闘ぶりは「本木良永墓誌銘」（楢林栄哲撰、楢林栄建書）に刻まれている。そこには、幕府から翻訳の命を受けた際、「自分は翻訳という仕事で禄を得ているのだから、これが理由で死んでも悔いがない」という悲壮な決意の下、「冬の寒いさなかに水を被り、諏訪神社に裸足参りをして、翻訳が成就するよう神に祈った」と刻されている。良永は、先の「誤訳事件」の恩義もあり、死を覚悟して翻訳に取り組んだのである。このように『太陽窮理用法記』は、良永の涙ぐましい努力の結晶であった。しかし、この翻訳が完成した一か月前に定信は老中の職を解かれたため、幕府の書棚に止め置かれたまま改暦に活かされることにはならなかった。とはいえ、写本はかなり多く流布したようで、地動説が日本に広がるために大きな功があったのだ。

ところで、『太陽窮理用法記』の表題にある「窮理」は、stelsel（英語の system）の訳語で、「体系」という意味を持たせているから、「太陽窮理＝太陽系」という意味である。上巻に「コペルニカン・ステルセル（コペルニクス体系）とはいかなるものを言うのか」との章を設けて地動説を堂々と掲げており、本木良永を「日本のコペルニクス」と呼ぶのに相応しい。「窮理」という言葉は、明治の文明開化の時代に大いに流行ったそうで、物事の道理や法則を究めることを意味した。言葉の源泉を辿ると朱子学において、宇宙の根本原理である「理を窮めて理に至る」ことを意味していた。それを良永は「学説の体系」と捉えたのである。そして、この書の最後に、イギリスのベンジャミン・マーチンの蘭語訳（一七六五年）を使って、プトレマイオス、ティコ・ブラーエ、コペルニクスの三つの天文体系を比較し解説している。太陽窮理の歴史的変遷をわかりやすく表示したのであった。

三人の継承者たち

(a) ニュートン力学への誘い——志筑忠雄

本木良永の後継者と言えば、その筆頭に志筑忠雄（一七六〇—一八〇六）を挙げねばならない。といっても、志筑は良永の直接の弟子ではない。しかし、同じ長崎の外浦町に住んでいたから互いに頻繁に往来しており、志筑は自分より二五歳年上の良永から多くのことを学んだのではないかと推測できる。良永の『太陽窮理用法記』は、コペルニクスの地動説からケプラーの惑星運動の三法則までを解説しているが、そこに留まっている。なぜケプラーの美しい法則が成立するのかについて踏み込んでいないのだ。ケプラーの法則は星の動きを詳しく観測した結果得られた経験則であり、現象論でしかない。従って次のステップは、なぜそのような経験法則が成立するかを、物質間に働く力を基礎にして説明しなければならない。その理論であるニュートン力学を、日本に最初に紹介したのが志筑忠雄で、彼を「日本の物理学の祖」と呼ぶこともある。

志筑忠雄は長崎の資産家の中野家に生まれたが、長崎通詞の志筑家の養子となり、一七七六年に稽古通詞となっている。ところが、翌年早々に病気と「口舌不得手」を理由にして通詞職を辞し、以後蘭書の翻訳と研究に没頭した。病弱であったことは確かなようだが、一六歳で稽古通詞になったのだから「口舌不得手」であったとは信じがたい。彼の父親は三井越後屋本店の長崎出張所長を務めており、裕福な中野家からの経済援助で好きな翻訳に没頭できたようで、中野忠雄と旧姓で呼ばれることもある。彼の翻訳の才能は並外れたもので、残っている著作物だけでも、オランダ語研究書が十種、世界地理・歴史関係書が六種、天文学・物理学・数学関係の研究書が二一種もある（『蘭学のフロンティア　志筑忠雄の世界』所収の鳥井裕美子氏の論文）。これを見ると文理融合の人物であったことがわかる。ただ生前に出版されたものはなく、もっぱら写本を通じて蘭学仲間に知られていただけであったらしい彼は、オックスフォード大学のJ・キールが一七三九年に書いたニュートン力学の教科書『天文学・物理学入門』を、ベルリン大学のJ・ルロフスがオランダ語に翻訳して一七四一年に出版したものを、『暦象(れきしょう)新書』として翻訳したのである。彼は『奇児(キール)全書』と呼ばれるキールの教科書から一七八二年に『天文管窺(かんき)』、一七八四年に『求力法論』を翻訳し、その後『暦象新書』の「上編」を一七九八年に、「中編」を一八〇〇年に、「下編」を一八〇二年に完成している。なんと二十年に渡ってキールの教科書の翻訳に格闘したのである。「中編下巻」に所載されている太陽系形成に関する彼独自の試論である「混沌分判図説」を一七九三年にまとめている。

良永の翻訳の態度と決定的に異なる点は、良永は通詞として字義を正確に表現することに集中したことに対し、志筑は「訳文が下手なため、読む人が原文の意を詳しく理解することが困難であることを畏れるので、やむを得ずいくつか自分が聞いたことを交えて語る」と「凡例」に書いているように、翻訳本文において「忠雄曰く」として志筑自身の意見・解釈・私案などを詳しく書き足していることである。時には、著者の文言を上回ったり、異なった方へ展開したりしており、彼のオリジナルな著作と言ってもよい部分が多くある。

特筆すべきことは、日本人が初めて力学理論に触れるのだから、これまで知られなかった概念について数多くの物理学用語（漢語）を発明しなければならなかったことで、引力・重力・求心力・遠心力・動力・速力・弾力・物質・分子などを「義訳（意訳）」として導入したと語っている。良永が天文用語に苦労したのを引き継ぎ、さらに幅広く物理用語の発明を行ったのだ。それらは現在では普通の物理用語として使われており、もはや志筑の造語だと誰も知らない。日本の「物理学の祖」と呼ぶのも過分ではないだろう。

さらに地動説・天動説も志筑が発明した言葉である(だから、志筑忠雄が登場する前の本木良永の事績を語るときは、西洋流に地動説は太陽中心説、天動説は地球中心説と呼ばねばならなかった)。西洋の表現は、空間の唯一の点である中心に、太陽または地球のいずれが位置しているかを示す絶対的な視点からの呼称であり、当然中心に位置するものは動かない。一神教の西洋では、そこに絶対神が位置しているのである。それに対し、志筑が提案した天動説・地動説は、どちらが動くかに着目しており、動くものは中心にいないのだから絶対者ではなく、相対的な視点である。絶対的な神を持たない八百万(やおよろず)の神が遍在する東洋では、どちらが動くかに着目したと言えよう。

志筑は地動説が正しいということに気づいてはいたが、幕閣や当時の人々が信じていた儒教的な陰陽五行説を否定することになるのを畏れた。「天は陽、地は陰、動は陽に属し、静は陰に属する。もし地球が動くとすると(陽になるから)陰陽の理屈に反する」というわけである。そこで、「此れにて動とすれば彼にては静とし、此れにて静とすれば彼にては動とす」というふうに、地球と太陽のいずれを原点に取るか(いずれが動くか)の座標変換の問題に過ぎないのだから、天動・地動の是非は論じられないとしたのであった。その結果、「地動・天動、いずれかを是とし、いずれかを非とせん」と言明してしまった。

思うに、志筑はこう言い切ったことを後悔したのではないか。太陽系に閉じた視点で地球と太陽の運動のみを論じるのであれば、天動説・地動説は座標変換の問題と捉えられるが、より大きな宇宙論的な視点で見れば、明らかに地動説に軍配が挙がるからだ。『暦象新書』においても「恒星と太陽が同類であることは明白で、宇宙には無数の太陽が存在していて、広大無辺の空間の彼方まで散らばり広がっている」との無限宇宙像が提示されている。そうであれば、不動の太陽の周りを地球が回っていて、そうした太陽系のような天体が宇宙に多数存在すると考えねばならない。志筑は良永の第一の後継者であったが故なのか、地動説の枠から脱して宇宙論へと飛躍することができなかったのであろう。

(b) 地動説から無限宇宙への夢想―司馬江漢

芸術家の直観で地動説を踏み越えて、素直に無限の宇宙を空想（夢想）したのが司馬江漢であった。江漢は、狩野派・浮世絵・唐画・洋風画と、当時の絵画の全流派の画法をマスターして稀代の絵師としてその名を残しているが、日本で最初にエッチング技法を開発して銅版画を制作し、地動説を文章やエッチング画によって人々に広めるという役割を果たした異色の人物でもある。天才的な芸術家の常なのか、平気でホラ話をする、大言壮語して人を煙に巻く、変哲者で素直ではない、信用できない人物である、と散々の悪評がある。そのような毀誉褒貶があって摑みどころがないだけに、彼の人生は曲折に富んでいて面白い。

彼が一七八八〜八九年に長崎旅行に出かけ、吉雄耕牛や本木良永と交流して地動説について学んだらしいことは既に述べた。それまでに江漢が本木良永の『天地二球用法』を読んでいて、地動説が何たるものかについて大よそは知っていたようでもある。ただし、「西洋の奇説」として受け入れていなかったのだ。とはいえ、彼の長崎旅行記である『西遊旅譚』(一七九〇年、九四年に絶版となり一八一五年に『江漢西遊日記』として改版)には、旅の途中で「あの世」について聞かれて「あの世なんてない」と明確に語る箇所があり、儒教や仏教の死後の世界を拒否していた。地動説については最初「西洋の奇説」として拒否していたのだが、長崎で吉雄耕牛や本木良永と付き合ううちに、徐々に地動説への偏見も小さくなっていったようである。

長崎旅行の後、まず彼が凝ったのは窮理学で、地理・地図に夢中になって世界の多様性を知り、地球図や天球図をエッチングで描き出して地球の広大さや宇宙への興味を広げた。そして一七九三年の著作『地球全図略説』で、天動説とともに地動説に触れている。ここには「この説は甚だ新奇の説であるので、虚妄の説として疑うのは確実であろう」とあってまだ半信半疑なのだが、実はこの本が刊行物として地動説に触れた日本で最初の書物なのである。その意味では、江漢は本木良永の仕事を堂々と表現しようとしたとも言える。

一七九六年に刊行した『天球図』と付録の『和蘭天説』において、天動説・地動説を公平に概観する「天地両説合考図」を示している。地球の周りを太陽が廻り、太陽の周りを地球が廻る、その様を一枚の図で示して両説の違いを明快に表現しているのだ。江漢は、この段階ではまだ天動説・地動説のいずれが正しいか決めかねていた。注目すべきなのは「星は層をなして分布しており、限界がない。それが一つの宇宙であり、その中にさらに別の太陽があり、また一つの宇宙を成している。そこの太陽も月も星たちも宇宙を成している。無数の宇宙が営々とあるのは、野生の馬が点々と存在しているようなものである」と、早くも無限宇宙像に接近していることである。志筑の『暦象新書』の無限宇宙論が出される以前に、江漢は既にその描像を胸に抱いていたのだ。

結局、一八〇九年の『刻白爾（コッペル）天文図解』の「凡例」において、「この編の全説の原点は西洋の書で、先に長崎の通詞の本木氏が翻訳したものを、私が願って目を通させてもらったもので、刻白爾の窮理地転の説である」と述べている。おそらく良永の『太陽窮理用法記』の写本を読んだのだろう、はっきりと地動説の立場に立って太陽系の運動を論じ、ケプラーの法則まで言及している。その意味で江漢を本木良永の第一の継承者と呼ぶべきだろう。この本にわざわざ自画像を掲げているのは、江漢にとって畢生（ひっせい）の著作の意気込みであったと想像できる。そして「天には無数の星があり極まりない」と無限宇宙について述べることも忘れていない。

江漢は『春波楼筆記（しゅんぱろうひっき）』と題した回顧録を一八一一年に出しているのだが、そこでは「天は広大なもので、遠くから地球を見れば一つの粟（あわ）のようなものである。人はその一粒の粟の中に生じて微塵よりも小さい。そなたも私も微塵の一つなのではないか」と、宇宙からの視点でいかにも覚ったかのような言葉を連ねている。しかし、その後で「私は天文地理を好み、日本で初めて地転の説を開いた」と、自分こそ地動説を日本で最初に発明したと大法螺を吹いている。このように大言壮語するから信用されないのだが、「私、司馬峻が天理を明らかにしたといっても、世間の人々はこれを知らない」と拗ねていたのかもしれない（司馬峻は司馬江漢の本名）。

(c) 生命が満ちる宇宙―山片蟠桃

継承者の三人目は、大坂の大名貸しの豪商「升屋」の番頭の山片蟠桃（一七四八―一八二一）である。彼は「身上投げ出し（倒産）」の危機にあった升屋を立て直し、仙台藩や古河藩を始め日本各地の二〇を超える大小の藩の大名貸しをするほどの大店に育て上げた辣腕の商売人であった。米の売買と金貸しという厳しい商売をしながら、「浪花の今孔明」と呼ばれたように、「懐徳堂」という大阪の私塾に通って儒学の薫陶を受け、麻田剛立について天文学を学び、それらの合間に詩歌・随想・論説などを執筆して『草稿抄』と題した文集を自ら編纂していたという人でもあった。まさに多能・多才なのだが、さらに彼は自然哲学者として天文・地理に関わるテーマ、そして社会学者として歴史・経済・制度・宗教など人間生活に関わる幅広いテーマについて論じた、『宰我の償い』という論集を一八〇二年に書き上げていた。これを懐徳堂の中井竹山（一七三〇―一八〇四）とその弟の中井履軒（一七三二―一八一七）の両先生に校閲してもらう過程で書き直し、履軒の助言もあって『夢の代』と改題して完成させたのは一八二〇年のことであった。一八一三年頃から失明しており、口述で執筆し続けたその執念には頭が下がる。儒教的な封建秩序を肯定しながらも、「異端」や「無鬼」のような時代を先駆けた唯物論的論稿があり、時代を先駆けていた思想家と言える。

彼も最初は陰陽五行説の朱子学的な宇宙観の持ち主であった。実際、稿本が残っているので確かめることができるのだが、『宰我の償い』で書いていた天文の項では天動説の立場からの論を立てていた。ところが、竹山の校閲を得た一八〇二年から一八一〇年の間に、本木良永の『太陽窮理用法記』を読み、さらに志筑忠雄の『暦象新書』の写本を入手して読み込んだらしく、『夢の代』では天文・宇宙に関する観点が根本的に変化している。実際、『暦象新書』の文章のいくつかを丸写しにしている箇所もあって、志筑忠雄に弟子入りしたようなものである。志筑忠雄が本木良永の直接の弟子とすると、山片蟠桃は良永の孫弟子に当たるとしてよいだろう。蟠桃はこれらの学習で地動説を受け入れただけでなく、無限宇宙論へと自らの宇宙観を再構築したのである。そのことは『夢の代』の「凡例」において、「初めは謹んで古法を述べたのだが、やがて今禁じられている地動の説を主張し、さらに思う存分に仮説を述べた」と書いていることからわかる。ここで言う「古法」は陰陽論、「仮説」とは宇宙論のことである。

彼が、自ら誇っているのは「明界・暗界図」で、中心にある太陽（恒星）からの光を受けて惑星が明るく見える明界（太陽系では土星まで）と、それより遠くの太陽の光が届かず暗闇のままの暗界（太陽系では土星の外側一帯）とに分かれて見えることを示した図である。すべての恒星にはそのような明界と暗界が伴っていて、それが点々と宇宙に散らばっているというわけだ。

明界の大きさは恒星間の距離に比べるとずいぶん小さいから、宇宙はほとんど暗界に占められることになる。しかし、恒星をクローズアップしてみれば明界が見え、そこに惑星が存在していることが見えるはず、ということになる。

蟠桃の想像はそこに留まらない。「明界の中に地球のような星があれば、火気（太陽）に向かう半分は照らされ、反対側は照らされない。このような星がいくつあっても皆同様である。これを地球とすれば、他は名付けて惑星と言う。この惑星に小星（衛星）があれば、惑星の引力に引かれてその星の周りを回って離れることがない。これが月である。月も惑星も皆地面があり、世界があって、山海・江河・草木・人畜・魚虫があることは、我々が住む地球と異なることがない」と、まず太陽系について述べる。

そうなると一気に想像世界が拡大して、「他の天体であっても、多かれ少なかれ地球に似ていると考えられ、どこにも土があり湿気があるだろう。とすれば、太陽の光を受けて互いに反応し、反応すると水と火が互いに協力して万物を生ぜしめ、草木が生まれるだろう。すると当然虫が生まれ、虫がいれば魚貝・禽獣（きんじゅう）が誕生することになろう、こう考えると人民も必然的に生まれる。だから、諸惑星の皆に人民が存在するということになる」と、宇宙に生命が、そして人間が多数存在していることまで想像が及ぶのである。宇宙に人間は当たり前に存在していることを主張しているのだ。これを二〇〇年も前に考えたのである。

日本のコペルニクス＝本木良永の三人の継承者たちは、地動説を乗り越えて宇宙を無限の彼方にまで広げ、生命に満ちる世界の描像へと私たちを誘ったと言えるのではないか。

（「ユリイカ」二〇二三年一月号）

第六部

時のおもり
抜粋

私は、中日新聞の「時のおもり」というコラムを、もう二五年以上にわたって担当してきた。以前は四人が毎週交代で書いていたのだが、今は二人で四週間に一回のペースで書いている。このペースは、書き手にとってはかなり忙しい。私に期待されているテーマは科学と社会に関わることであろうから、読者に身近な社会的あるいは政治的事象であるとともに、科学的な見地が含まれていなければならない。単なる社会（政治）評論であっては素人同然だから、科学者としての見方・考え方が不可欠なのである。その意味で題材選びに苦労し、締め切り直前まで書けないこともある。むろん、早々と書き上げて締め切り日が待ち遠しい場合もあるが、それはそう多いことではない。ここに収録したのは、比較的スムースに原稿がまとまったもので、それだけに愛着がある上、気楽に読み直せるから不思議である。

1　関東大震災から一〇〇年

一九二三（大正十二）年九月一日午前十一時五八分、相模湾の深さ二三㎞を震源とするマグニチュード七・九の地震が発生した。その結果、東京と神奈川を中心として、死者・行方不明者約一〇万五千人、倒壊家屋約十一万、焼失建物約二一万棟もの莫大な被害を及ぼした。さらに、震災の混乱のドサクサに紛れて何千人もの朝鮮人が虐殺され、緊急勅令によって戒厳令規定を準用する治安対策が取られた。この関東大震災が大正デモクラシーからファシズムへと大きな転換のきっかけとなったのだが、今年で一〇〇年目になる。

北アメリカプレートとフィリピン海プレートの境目にある相模トラフ（海底の比較的浅い溝）では、過去数百年の間にほぼ百年弱の間隔で何回も大地震を引き起こしてきた。ここはいわば地震の巣であり、近いうちに関東大地震が発生する可能性が非常に高い。さて、現代の私たちは「新たなる関東大震災」に的確に対処し、犠牲者を少しでも減らすことができるだろうか、はたまた、大混乱に乗じて国家緊急事態法を含む憲法「改正」へとなだれ込むことになりかねないのか、しっかり腹をくくって対処しなければならない。

一〇〇年前と現在が決定的に異なるのは、東京・横浜を合わせて膨大な人口を抱え、都会がコンクリートジャングルになり、鉄道や地下鉄や高速道路が縦横に走り、地下街の利用が格段に進み、クルマによる人間と物資の流通が当たり前になったことであろうか。木造建築物が主の火事に弱かった一〇〇年前と比べれば耐火力は増しただろうが、異常な人口集中が都市の脆弱性を大きくしていることは間違いない。交通機関が一斉に休止して住民は身動きできず、物流が途絶えて食料が欠乏し、電気やガスや水道の供給が止まって高層マンションでは暮らせず、ゴミの収集が途絶えて悪臭が漂い、不衛生極まる町となるだろう。そのような中で難民と化した人びとがパニックにならないという保証はない。

　二八年前、兵庫県南部地震（神戸淡路大震災）のときはマグニチュードが七・三の直下型地震で、被害は阪神・淡路に集中し、倒壊した建物で圧死した人が六千人を超えた。全国から多数のボランティアが駆けつけ、排外主義的な目立った動きは起こらなかった。さてＳＮＳが大きく発達した現在において、人びとの結びつきはどのように変貌したのだろうか。ＳＮＳはアラブの春を招き寄せたように人々の団結を築き上げる上で大きな力を発揮したが、その後の権力者の逆襲で、ＳＮＳが住民の分断を加速することになった。今やヘイトスピーチや差別的言辞が飛び交う場でもある。また、ウクライナ戦争を見守る中で特定の国を敵視する雰囲気が強まり、軍事力を拡充して国を守るという意識が高じていることが、排外主義的な行動を誘発しないか心配になる。

　そして何より懸念されるのは、人びとが災害への警戒心を喪失しているのではないか、ということだ。福島の原発事故を経験して、危険な放射能を大量に内蔵する原発には極力頼らないとの方針を、政府も国民も堅持していたはずであったが、グリーントランスフォーメーション（GX）と称する原発回帰への急転回を簡単に飲んでしまったことが一例である。人びとは天災健忘症に陥って安穏な日常が続くと思い、来るべき関東大震災への想像力を失っているのだ。そして壊滅的災害に当面するや慌ててファシズムを呼び込むのではないか、そんな最悪の事態を強く懸念している。

（「中日新聞」二〇二三年八月）

2　「チャットGPT」という怪物

「チャットGPT」とは、そもそもGPTが「文章生成言語モデル」を意味するプログラム名であるように、質問や要望をウェブサイトに打ち込むと、その入力データから短時間のうちに滑らかな文章で新しいデータが生成されて返ってくる「生成型人工知能（AI）」の一つである。昨年（二〇二二年）十一月にネットに公開されて以来、その威力の大きさに魅了されて利用者が急増している。その仕組みは、利用者からの問いかけに対して、集積した膨大なデータを迅速に学習・整理して回答を生成し、オンライン上でおしゃべり（チャット、対話）をするというものだ。むろん、文章の遣り取り（質疑応答、テキストの翻訳や要約）だけでなく、ビデオ（動画、高精度の画像）の作成、新たなソフトウェア（プログラムコード）の作成、数値データの解析（データからの数式や化学式の構築）を行うというような使い方も可能である。AIが詠んだ短歌や俳句が優れていると評判になったが、チャットGPTでは小説や脚本の作成もお手のものだし、学生のレポートや学校の教科書も簡単に制作できることは言うまでもない。

試みに私も使ってみたが、通常の質問なら的確な答えが瞬時に返って来るし、回答の日本語に機械と対話しているという不自然さは少ない。一般に自己言及性と呼ばれる、自分自身について言及する言辞はパラドックス（矛盾）を導きやすいとされている（例えば、「私はウソを申しません」という言明は真であるか偽であるか決められない)。そこで「チャットGPTの回答は信用できるのですか?」という質問をしたら、「信用するかしないかは、あなた自身が決めることです」という返事が戻ってきた。チャットGPTは自己言及の矛盾を見事に回避して、質問者に返答する知恵を持っているのである。

インターネットを検索すれば日常のさまざまな質問の回答は得られるのだが、チャットGPT(以後、生成AIと呼ぶ)を使えばそれ以上に単刀直入で懇切丁寧な回答が得られるようになった。その結果、単なる便利さ以上に、あたかも新たな知恵を生成する能力が発揮されたかのように思われるのだ。やがてビジネスや行政機関で重宝され、学校の先生や専門職の職域でも頼りにされるのではないか。かつては、AIが発達すると単純な作業や決まった工程の労働者が職を失う危険性が言われていたが、生成AIが発達すると、創造性を売り物にする知的な仕事すらその存在が危うくなるだろう。天才的に新しいものを生み出さない限り、単純に過去の成果に依拠して模倣するだけの凡庸な仕事は、AIに取って代わられるのは必定である。知的世界をかき回す怪物が出現したのである。

今後、生成AIのもたらす社会的脅威が大きなものとなることは確かだろう。しかし、AIが誤った回答や偏った情報拡散を行い、プライバシーや著作権を侵害し、特定の意見や主張を平気で振りまく可能性は否定できない。デジタル技術が本来持っている「不可視性」・「匿名性」・「集中性」・「模倣性」・「過去の繰り返し」などの危険がいっそう拡大しかねないからだ。

チャットGPTはその第一歩なのである。

G7サミット（主要七か国首脳会議）で、生成AIへの見解を年内にとりまとめる「広島AIプロセス」を創設することになったが、果たして効果的な対策が打ち出されるだろうか。ますますAIが進化してゆく将来の社会は一体どのようになるのか、想像を絶する思いである。

（「中日新聞」二〇二三年二月）

3 「束ね法案」という便法

政府が国会に法案を審議にかけるとき、複数の、多いときは五から十もの法案全体を一括して（束ねて、まとめて）上程し、たった一回の採決で賛否を決する方式を「束ね法案」と言う。束ねた法案は互いに関係があるものが多いから、それを一つ一つ審議するのは時間のムダだというわけで、実質審議の場である委員会も一つにし、議会でも一括採決して審議の迅速化を図ろうというものだ。かの安倍晋三内閣が得意とした手法である。

安倍内閣時代の「束ね法案」例を挙げてみよう。まず、二〇一五年の「安保関連法案」である。これは国際平和支援法という新法と、平和安全法制整備法と呼ぶ自衛隊法・武力攻撃事態法など十本の既存の法律の改正案を含んだ「束ね法案」であった。この法律群が集団的自衛権行使の根拠となったのだ。二〇一八年には「働き方関連法案」が、労働基準法や労働契約法など八本の労働法に関する法律を束ねて成立した。学校の先生の過酷な勤務を容認した法が含まれている。さらに二〇二〇年の「国家公務員等の一部を改正する法律案」では、検察庁法・警察法・自衛隊法など一〇本の改正法案を一本の法案としてまとめて通した。安倍首相のお仲間の定年延長のための法改正であった。

これに味を占めたのか、岸田文雄内閣も矢継ぎ早に法改正を「束ね法案」として提案している。一つは「障害者関連法改正案」で、障害者総合支援法・精神保健福祉法など五つの法改正で、精神障害者の人権を無視した強制入院条項が含まれている。もう一つは「GX（グリーントランスフォーメーション）脱炭素電源法案」で、電気事業法や原子力基本法など五本の法律の改正案が束ねられており、六十年を越える原発延命のための法律改正も含まれている。今や「束ね法案」花盛りである。

「束ね法案」においては、誰もが反対しづらい法案Aと、反対が多く出て否決されかねない法案Bを抱き合わせにして審議にかけ、一括賛成か一括反対かを迫ることが多い。法案Bには反対だが、一括反対だと法案Aまで反対することになるから一括反対を止め、一括賛成に回る野党が出る。野党を容易に分断できるのだ。そのように法案を恣意的に組み合わせることで、揉めそうな法案Bを易々と通すことができるのである。

そこまで露骨ではなくとも、問題の多い法案をいくつも束ねることで議論を拡散させ、問題点をぼやかすことができる。個別法の提案だと対立点が鮮明になり、世論の風当たりも強くなる。それを避けるため、複数の法案を一括して提案すれば、詳細に入らず、曖昧なまま国会を通すことができる。つまり「束ね法案」という手法は、立法（国会）の関与を弱め、行政（内閣）の思惑に政治を導くのである。

現在の日本において、国会が十分機能していない。その理由は、重要案件があっても、政権与党は野党からの臨時国会開催要求を拒否し、閣議決定のみで重要方針を決定し、「束ね法案」

で詳しい論議を行わない、ということが罷り通っているためである。行政府の思いのままの政治が行われていると言える。「手抜き民主主義」に陥っているのだ。
この状態を打開するには、私たち国民はもっと行政府に文句を言い、実質的な議論が行われる国会を回復しなければならない。「束ね法案」こそ、民主主義を無にする政府の策略として、断固抗議したいと思う。

（「中日新聞」二〇二三年六月）

束ね法案として、「脱炭素社会の実現に向けた電気供給体制の確立を図るための電気事業法等の一部を改正する法律案」が国会に上程され審議が開始されている。岸田首相が打ち出したグリーントランスフォーメーション（ＧＸ）構想の具体化のための法律群で、電気事業法、核原料物質、核燃料物質及び原子炉の規制に関する法律、原子力発電における使用済燃料の再処理等実施に関する法律、再生可能エネルギー電気利用促進に関する特別措置法、そして原子力基本法の五つを一括審議しようというものだ。それらの法律のどれにもしっかり議論すべき事項が含まれているのだが、これらを束ね法案として審議するという便法（べんぽう）で、「手抜き民主主義」の見本のような提案と言える。ここでは「原子力の憲法」と呼ばれ、歴史的に大きな意味を持つ原子力基本法の改訂について述べよう。

敗戦によって禁止されていた原子力研究が全面解禁となったのは一九五二年の講和条約の発効後で、日本学術会議においては、原子力研究を進めようとする積極派と米ソの核軍拡競争の真最中に原子力研究を進めることへの慎重派との対立があった。その間隙を衝いて、一九五四年三月に中曽根康弘衆議院議員等が提案した総額二億六千万円の原子力予算が成立してしまった。これに対して日本学術会議は対応策を協議し、原子力研究について、「平和目的に限り、自主・民主・公開の三原則を必須とする案」を総会で決議した。これが、一九五五年成立の原子力基本法第二条の条文に取り入れられたのであった。

この原子力基本法が今回大改訂されて、「原発利用推進法」とも呼ぶべき法律に成り下がろうとしている。今回の束ね法案の目的は、原発の活用によって電力の安定供給と脱炭素社会の実現を図るということなのだが、端的には原子炉の運転期間の規定を原子炉等規制法から電気事業法に移す法的説得力を持たせるため、原子力基本法改訂にまで手を付けようというわけである。

まず、原子力基本法の（基本方針）第二条に第3項を加えて、「国及び原子力事業者が安全神話に陥り（略）福島第一原子力発電所の事故を防止できなかったことを真摯に反省した上で」と殊勝にも福島事故の反省の弁が書かれている。しかし、今回付け加えられる、第二条の二（国の責務）では原発による電気の安定供給の確保を謳い、第二条の三（原子力利用に関する基本的施策）では原子力産業基盤の維持を約束し、第二条の四（原子力事業者の責務）では事業者の防災態勢の充実強化を述べるのだが、いずれも「エネルギーとしての原子力利用」とか「原子力発電を適切に活用する」との文言が最初にあって、原発の維持・利用の積極推進を打ち出している。原子力基本法にこのように書き込むことによって、原発が衰退する状況になっても、原発への依存路線が延々と続くことになりかねない。エネルギー政策が硬直化して柔軟性が失われるのである。実際、原子力基本法第七条に「核燃料サイクルを確立するための高速増殖炉（略）及び核燃料物資の再処理等に関する技術」の開発が書き込まれたため、見込みのない核燃料サイクル・再処理路線から撤退できないまま延々と続いていることを見ればわかる。

近視眼的に原発推進路線を突っ走ろうとして原子力基本法に手を付け、将来の手を縛りかねないことを強く懸念している。

（「中日新聞」二〇二三年七月）

5　兵器山積して、国民飢える

今日本は、外国からの侵略を抑止するためとして軍拡ムードに満ちており、安保関連三文書の閣議決定もあって、防衛省は五年間の防衛予算四三兆円の実績づくりを早速開始している。暮れの十二月二三日に閣議決定された政府予算案では、二〇二三年度の防衛費は過去最大の六兆八千億円余りで、二二年度の当初予算より約一兆四千億円多く、ほぼ一・三倍の大幅な増額である。防衛省は、先に「防衛力の抜本的強化の七つの柱」を打ち出していたが、その七つの柱ごとに必要経費を積み上げたという。

「反撃（敵基地攻撃）能力」の主力と目される巡航ミサイル「トマホーク」の取得に二一一三億円とか、イージス・アショアの代替であるイージス・システム搭載艦の整備に二二〇八億円とかの、ミサイルを用いた防衛能力の強化が目に付く。その中で私が注目するのは、極超音速滑空兵器（極超音速誘導弾とも呼んでいる）「HGV」への対応である。HGVはその名の通りマッハ五以上の極超音速で滑空飛翔する兵器で、弾道ミサイルとは異なり、レーダーに捕捉されにくい低軌道を長時間航続可能とあって、次期ミサイル開発の主眼と目されてきた。既に中国やロシアが配備しているという噂があり、米国も鋭意開発中とされている。

このHGVの開発に、次年度の防衛予算で五八五億円も計上していることに驚いた。というのは、日本においては、防衛装備庁が「安全保障技術研究推進制度」と称する軍事開発の基礎研究としての委託研究制度があるが、ＨＧＶのスクラムジェットエンジン開発は、この制度において数年前から採択しているテーマであるからだ。つまり、日本はようやくＨＧＶエンジンの開発に手をつけたところなのである。「防衛力整備計画（以下、整備計画）」でＨＧＶが何度も言及され、防衛体制の主力に育てようとの意図を強調しているのだが、さて、初年度からこれほどの予算を付けて一体何に使うつもりなのだろうか。

実際、「整備計画」では「極超音速の速度域で飛行することにより迎撃を困難にする極超音速誘導弾について研究を推進し二〇三一年度までの事業完了を目指す」とあって、いわば十年計画の開発なのである。そして、「ＨＧＶへの対処能力として地対空誘導弾システムの調査及び研究を実施する」とあって、ＨＧＶ対応をこれから検討するという。さらに、迎撃のためにＨＧＶの探知・追尾能力を強化するとして、固定式警戒管制レーダーの整備・能力向上、次期警戒管制レーダーの換装・整備、新型レーダーの導入などレーダー網を充実させ、各種迎撃ミサイルや艦対空ミサイルを取得するとある。このように、ＨＧＶの開発よりも、これへの対応兵器のための費用が何倍にもなる。一つの新兵器が軍需産業の手によって登場すると、たちまちその兵器をより効率化するための開発とともに、その兵器から防御するためのさまざまな手段も併せて開発する。軍拡がエスカレートしていくことが見事に読み取れる。

こうして、どんどん兵器開発に励んで莫大な資源を無駄に使い、やがて時代遅れになってスクラップにされていく。なんと空しいことであろうか。ましてや、日本は「国家安全保障戦略」に書いているように、食料安保に大きな危険性を抱えている。膨大に山積する兵器の傍らで国民は飢餓に追い込まれる、という事態が来そうな気がする。

（「中日新聞」二〇二三年五月）

6　軍拡の財源はどこから？

二〇二二年十一月二二日、安全保障関連の三文書作成のため、「国力としての防衛力を総合的に考える有識者会議」の報告書が提出された。ここには実際の金額は書かれていなかったが、十一月二八日に岸田文雄首相が「「中期防衛力整備計画」の最終年度に当たる令和九年度予算に、GDP比二％を必要な水準」と言明した。そのために「各年度予算において、これらの取り組みに関する経費を総合的な防衛体制の強化に資する経費として計上・把握する」として、今後五年間で四三兆円（過去五年間の予算の約一・六倍）を財務省に指示した。

では、五年間で防衛費を倍増するための財源は、いったいどこから調達するつもりなのだろうか。この報告書では殊勝にも国債に頼らないとは謳っている。その理由は、現在既に一千兆円を超える巨大な借金があることや、コロナ対策で累計九一兆円もの国債を発行していることが言われているが、なにより軍事強化のためには臨時財源である国債でなく恒常的な財源としたいためであろう。軍事拡張のために赤字国債を乱発した戦前の愚は繰り返さないというわけだ。

そこで財源確保策として、まず歳出改革を行い、「なお不足する財源については税制上の措置を含めて多角的に検討」としている。つまり増税である。緊急かつ大きな歳出が必要とされた場合、このように歳出削減と増税を組み合わせて財源確保をした例は過去にいくつもある。例えば、東日本大震災のとき、国立大学に勤務していた私は、歳出削減として給与の一部カットを呑まされたことを覚えている。さまざまな項目の予算の節減・削減・組み換え・返上などで浮かして融通するもので、今は決算剰余金の活用等が言われている。むろんそれだけでは乗り切れない。東日本大震災では「税制措置」、つまり増税として、

①復興特別法人税（通常の税率に一〇％付加）
②復興特別所得税（通常の税率に二・一％付加）
③個人住民税均等割の引上げ

の三つが「最大二五年間の時限措置」として施行された。もっとも、①の特別法人税は実質三年で打ち切られ、累計で二・二兆円ほど拠出したに過ぎない。復興予算が三二兆円であったことを思えば一割にも達していない。企業優遇の姿勢が露わである。それに対し②の特別所得税は、国民全体に広く薄く課している。一年で〇・四兆円だが、こちらはきっちり二〇三七年まで二五年間継続し、累計で一〇兆円負担することになっている。我々国民の懐からはばっちり取り立てようとしているのだ。

さて、それでは今回防衛費の大幅増額のために、いかなる増税が講じられるのだろうか。財

務省は、「防衛力強化の受益が広く国民全体に及ぶ」そして「国を守るのは国全体の課題である」ので、「その費用も国民全体で広く負担すべき」と述べている。「国民全体」とか「国全体」を強調しているように、国民に責任を押し付けてさまざまな形で幅広く増税を行おうとしているのである。注意すべきは、この増税は時限でなく恒久的に続き、さらに軍拡競争が激しくなるとさらに増税されていく可能性が強いことだ。結局のところ、極めつけは消費税のインボイス制であり、税率アップであろう。

さて、国民からの収奪を強めて軍事費を大幅に増加させ、人々を病弊させる、そんな政治を許したままにすると、日本は一体どうなるのだろうか。やはり私は、一切の軍事を持たない日本でありたいと思っている。

（「中日新聞」二〇二三年四月）

7 「敵基地攻撃」の必然的な二つの帰結

年内に予定されている「国家安全保障戦略」など安全保障関連三文書の改定に向けて、自民党安全保障調査会は「敵基地攻撃能力」を「反撃能力」と言い換えて、「敵国」の基地のみならず指揮統制機能などをも叩ける能力を保有すべきと主張している。ロシアのウクライナ侵略に乗じて、「反撃能力」の保持を日本の軍事力増強の重要な柱と位置付けているのだ。これがあれば「敵国」からの攻撃を抑止できるとして勇ましいのだが、これによって日本の将来に重大な二つの帰結に導かれることを述べておきたい。

一つは、日本が想定している「敵国」（ここでは特定されていないが、中国、ロシア、北朝鮮であろうか）は当然ながら、日本のこの「反撃能力」を上回る対抗手段を保有しようとするだろう。そうすると日本はさらに強力な「反撃能力」を備えなければならなくなる。それを見た「敵国」だって負けておれないから、より一層強力な対抗手段を講ずるだろう。それを察知した日本はさらにそれを上回る反撃能力を装備する……というふうに、際限のない軍拡競争のエスカレーションに陥ることは確実である。そして、最終的に日本は核兵器の保有にまで行き着くのは確実だろう（上記の「敵国」候補はいずれも核保有国である）。安倍元首相が言い出した「核共有論」は、日本の安全保障戦略が将来の核保有に繋がっていることを図らずも口にしてしまったのだ。つまり、「敵基地攻撃」論は必然的に日本の核保有に導いてしまうのである。そう考えると、日本政府の「将来の核廃絶のため核保有国と非核保有国の橋渡しになる」との核兵器全廃条約不参加の言い訳は欺瞞(ぎまん)でしかないと言わざるを得ない。

もう一つはもっと簡明で、「敵国」の立場からすると、彼らの「反撃能力」は地上・潜水艦・戦闘機・衛星などから発射するさまざまなミサイルを組み合わせ、日本に存在する原発を攻撃すればよいということだ。「敵国」は、わざわざ核兵器を使用するまでもなく、原発の破壊で日本を放射能まみれにできるのである。「敵国」はこれを「敵原発基地攻撃」と呼ぶのではないか。地形学的条件から日本という国の上空には常に強い偏西風が吹いている上、冬には日本海からの北西季節風、夏には太平洋からの南西季節風が卓越する。九州の玄海・川内(せんだい)、四国の伊方(いかた)、中国地方の島根、関西の大飯(おおい)・高浜・美浜・敦賀(つるが)、北陸の志賀、新潟の柏崎刈羽、静岡の浜岡、首都圏の東海・東海第二、東北の福島第一第二・女川、北海道の泊(とまり)のうち、ほんの数基からの放射能放出であっても、瞬く間に日本を覆ってしまうだろう。「敵国」はそのことを知らないはずがない。日本を屈服させ無力化するのには核兵器を使用せずとも、ミサイル攻撃で原発の外部電源を遮断し、使用済み核燃料の冷却水循環を止めてしまえば、たちどころに放射能拡散を引き起こせるのである。

ところが、岸田首相は、能天気にも、これまでの政策を一変させて原発の新増設・建て替え・運転期間の延長を打ち出した。「敵国」が狙うであろう「敵原発基地攻撃」の標的をさらに増やそうというのである。
「敵基地攻撃」の保持とは、このような必然の帰結を一切考えることなく、軍需産業が持ち込む勇ましい軍拡路線に乗っているに過ぎない。戦前の非科学的な軍事論が、今また復活しているとしか言いようがない。

（「中日新聞」二〇二二年十月）

8 「準国葬」・「国葬」・「疑国葬」

二〇二二年九月、奇しくも三つの大きな国家的葬儀が相次いで執り行われることになった。

一つは、八月三〇日に亡くなった旧ソ連の最後の指導者で新生ロシア連邦の初代大統領であったゴルバチョフの葬儀である。九月三日にモスクワの労働組合会館「円柱ルーム」で彼の葬儀・告別式が行われた。このホールはかつてレーニンやスターリンの遺体が安置された場所である。ソ連崩壊を招いたとしてゴルバチョフを強く批判するプーチン大統領は葬儀には出席しなかったが、それなりに配慮をしたわけで、いわば「準国葬」扱いと言えよう。ウクライナ戦争の最中で西側諸国との外交関係が途絶している状況だから、世界各国からの参列はなかった。しかし、この葬儀には、多数の人間が集まる集会やデモが禁じられているにもかかわらず、ロシアの市民数千人が参列したそうで、さてこれが何を意味するか興味があるところである。

もう一つは、二月にプラチナ・ジュビリー（在位七〇周年記念式典）を祝ったばかりのイギリスのエリザベス女王が九月八日に亡くなり、その葬儀がウェストミンスター寺院で一九日に盛大に行われた。在位期間七〇年七か月は、三〇〇年以上前のフランス国王ルイ十四世の七二年三か月に次ぐ史上第二位の長期在位君主であった。君主制が好きではない私もこの「国葬」には同意する。イギリス王室は「君臨すれども統治せず」の原則通り、政治権力をほとんど持っていないが、政治に口をはさむことがままあって議会や国民の顰蹙を買ったことが度々ある。エリザベス女王は、時代の変化に合わせて「開かれた王室」を演出したことが評価されているが、少なくとも日本の天皇家よりはタブーの少ない王家であったことは確かである。ブログではイギリス王室の戯画がいくつも出回っているからだ。しかし、なぜＮＨＫが延々と葬儀を中継したのであろうか。

そして三つ目は、九月二七日の安倍元首相の「国葬儀」である。一九四七年に「国葬令」が廃止されて以来、日本の法律には国葬に関する規定はないのだが、内閣府設置法を動員して岸田文雄内閣は閣議決定のみで国葬儀を開催することにしたのだ。このような法的根拠を欠く国事に関しては国会両議院の決議が必須だと思うのだが、岸田首相は国会の閉会中審査のみでお茶を濁した。一六・六億円（おそらくこれだけでは済まないだろう）もの国家予算を使い、統一教会問題もあって、多くの国民が疑問を持っているから「疑国葬」と言うべきだ。さらに言えば、国葬儀という名目でモリ・カケ・サクラを始めとする安倍元首相の数々の悪業を覆い隠し、憲法を尊重し擁護する義務を負う立場にあったのにもかかわらず、「このみっともない憲法」と言って平気で憲法を蹂躙してきた彼を、「天下の名宰相」と持ち上げて政治利用するたくらみが背後にある。

因みに、無縁と思われるゴルバチョフと安倍元首相の間には重要な共通点がある。いずれも統一教会と深い関係があったことだ。二人が亡くなって、やっとその関係が明らかにされつつあるのだが、なぜマスメディアはこのことを広く報道しなかったのだろうか。

準国葬・国葬・疑国葬、これら三つの葬儀を横目で眺めながら、さて「国葬」などという大げさな儀式を利用する国家というものの存在の意味は何か、じっくり考えてみたいと思う。

（「中日新聞」二〇二二年九月）

9 デジタル化時代の情報の偏り

旧来の常識では「バブル」は泡やあぶくのことであり、そこから泡のように消えやすいものを象徴し、投機目的で株や土地の高騰をまねく状況という意味にも拡大されてきた。つまりバブルの本質は、『方丈記』にある「よどみに浮かぶうたかた」のように、膨らんではすぐ消えてしまう短命の「あわ」のことであった。

ところが、この数年「バブル」に新しい意味が付け加わってきた。昨年（二〇二一年）開催されたオリンピック／パラリンピック時に使われたのが「バブル方式」であった。競技場を大きなバブルで包み込んで隔離し、選手はホテルと競技会場間を往復するだけで、観客やメディアと遮断する方式である。バブル内では普段と変わらず練習や競技を行う、ウイルス感染が起こらないよう外部との接触を断つための工夫であった。

この場合のバブルは「透明の強固な容れ物」という意味で、穴が開いても壊れず、閉じ込め機能は継続するという特徴がある。何よりバブルは物質ではなく、公権力による規制とか監視とかの目に見えない暗黙の容器だから拒否することができず、簡単には逃れられない。戦時中に、戦争に反対する人々に非国民とか国賊というレッテルを貼ったのも、この意味のバブルの利用であったと言えるかもしれない。

さらに、インターネットで「フィルターバブル」という機能が使われているのをご存知だろうか。外部からの情報のうち、気に入るものだけを通し、気に入らないものは遮断するようフィルターをかけ、あたかも「泡」に包まれたような安らかな気分に導くという。フィルター機能がバブルの膜となって障壁の役を果たすわけだ。今やSNSなどで膨大な情報が飛び交う時代だから、何らかの基準で情報を選ばねばならない。そこで自分の気に入った情報のみを通すという、極めて「私意的」なフィルターを使うということである。

これは情報を受ける側の私たち自身がかけるフィルターだが、情報の発信側がかけるフィルターもある。そのことを強く感じるのは、ロシアのウクライナ侵攻の報道である。そもそも情報鎖国のロシアはほとんど意味ある情報を出さないから、私たちが得る情報はウクライナや欧米発が大部分で、ロシアによる非道な破壊と殺戮の報道ばかりが強く印象づけられる。ロシア軍は二万人以上、ウクライナ兵は一万人以上犠牲者が出ているようだが、その詳細はほとんど不明である。戦争だから双方が情報統制を行い、当局のフィルターがかかった情報であるのは当然で、私たちは偏った情報しか知らされていないと十分自覚しておく必要がある。

このように情報発信側にフィルターがかかり、受信側が気に入った情報しか受け入れなければ、全く偏った情報を基に世界を見ていることになる。だから、せめて自分はフィルターバブルに閉じこもっていないか常に点検し、意識して厭(いや)なデータも取りにいく姿勢が必要であろう。

ウクライナの戦争は極端な例だが、デジタル化の進展はかえって情報の偏りに陥りやすいことの好例である。「現象の背後の目に見えないところで何が起こっているかを考える」ことこそ科学的思考の本質で、情報社会の現代には不可欠の知恵と言えるのではないかと思う。

（「中日新聞」二〇二二年八月）

10　五か国共同声明の本音

新年早々の一月三日（二〇二二年）に、アメリカ・ロシア・中国・イギリス・フランスという五つの核兵器保有国が共同声明「核戦争を防ぎ、軍拡競争を避ける」（通称「核戦争廃棄の声明」）を発表した。これら五か国は現代の世界政治を牛耳っている大国で、米中の台湾問題や米露のウクライナ問題のように世界情勢に関して互いに対立・確執があっても、共同声明を発するなんてことは考えられなかった。一体、どういうことだろう。

一月三日という共同声明発表のタイミングは、ＮＰＴ（核兵器不拡散条約）の第十回再検討会議が一月四日から開催される予定となっており（コロナ禍のために延期となった）、その機先を制することを考えて選ばれたものであろう。その根底には、条約の第六条に、「全面的かつ完全な軍備縮小に関する条約について、誠実に交渉を行うことを約束する」との条項があるのだが、これら五か国が核軍縮のための実効性のある措置を履行してこなかったことの負い目がある。そのため、予定されていた再検討会議で核兵器保有国からどのように責められるか、戦々恐々の思いであったに違いない。

そこで、たとえ口先だけでとはいえ、先手を打って核軍縮の重要性を言っておこうと考えたのではないか。この声明の冒頭において、「核戦争に勝者はなく、決してその戦いはしてはならないことを確認する」と、一九八五年のレーガン米大統領とゴルバチョフ書記長との間の共同声明の文言と同じ文言を使っていることがそれを物語っている。加えて第二段落で、「我々は、核不拡散条約(NPT)の義務を果たす」と述べているのだ。

さらに、昨年一月に発効した核兵器禁止条約の批准国は五九か国になり(※二〇二三年十二月現在六九か国)、第一回の締結国会議が三月に開催されること(コロナ禍で延期され、六月にウィーンで開催予定)が、五か国首脳の頭にあったことも明白であろう。核兵器保有国のみならず日本やドイツなど核の傘諸国もこぞって参加していないため、この条約は影響力がないとみなされてきた。しかし、いかなる国も原則的には核兵器禁止を否定することができず、核兵器保有国としては核抑止論(核兵器の恐るべき破壊力が戦争を抑止しているとの論)にすがるしかない。ところが、地球上に存在する核兵器は一万三千個を超えており、たとえ核抑止論を認めたとしても、多すぎるのは明らかである。核軍縮をもっと進められるはずなのに、核兵器削減は止まったままなのだ。

この矛盾から、今や核兵器保有の主張が空疎である、と誰の目にも見透かされるようになった。また、NATO加盟国であるノルウェーやドイツが核兵器禁止条約の締結国会議にオブザーバーを送ることを決めたように、核の傘国も核兵器禁止の方途を模索し始めている。このような状況下で、核兵器保有国は追い詰められつつあるとの思いから、核兵器禁止の声をなだめようと考えたに違いない。それがこの共同声明を出すに至った理由だろう。

唯一の被爆国である日本は締結国会議にオブザーバーを送ることを拒み、頑なに核兵器保有国と非保有国の間の「橋渡し」をすると言い続けている。それが単なるポーズでしかないことは、何ら具体的な「橋渡し」行動を行なっていないことで明らかである。

初めは同調者が少なくても正義を主張し続ければ、いずれ正義が通るようになることの一例で、私たちは正義の主張を止めてはならない。

（「中日新聞」二〇二二年二月）

11　食卓のゲノム編集

遺伝子操作の技術として、ゲノム編集という手法が非常に有力であることがわかり、二〇二〇年のノーベル化学賞が授与された。遺伝子情報を担うDNA上の塩基の並びをほぼ自在に切断することができる方法が発見されたのである。これに目をつけた研究者が、さっそくこの方法を使って従来の常識を破る食物を開発し、食卓に供しようとしている。

例えば、トマトには人間の血圧を下げるGABAと呼ばれる遺伝子がある。このGABAを多く含むトマトを育成して、高血圧の人間に提供すれば売れるだろう。そのためにはゲノム編集によってGABAの生成を抑える遺伝子の働きを遮断すればよい。こうしてGABAを多く含んで高血圧に効果的なトマトが作り出されるようになった。

どの動物もあまり太り過ぎると自由に行動できなくなり、生存競争に負けてしまう。従って、筋肉を付き過ぎなくする遺伝子が備わっている。筋肉が付き過ぎないよう、遺伝子が制御しているのである。だから、牛も豚も鶏も、鯛(たい)や河豚(ふぐ)や鮪(まぐろ)も、成長すると皆大きさがほぼ一定となる。たまに、その遺伝子が壊れた種が出現することもあるが、やがて太り過ぎて動けなくなり、生き延びることができない。自然はそれぞれの動物が生き残るための遺伝機構を備えているのである。

では、ゲノム編集の技術を使って、その遺伝子が働かないよう切断すればどうなるだろうか？　むろん、筋肉隆々の牛になり、肉身の厚い鯛や河豚とすることができる。そうすると、それらを食物として利用する人間にとって都合がよい。普通の牛より二倍もの肉を生産してくれ、通常の鯛や河豚より肉厚が二倍もあり、その上に早く生育するという効能もあるから、牛の肥育や魚の養殖にはうってつけとなるわけだ。厚労省食品調査会は、遺伝子抑制機能を外すだけだから自然界に起きる遺伝子変異と同じだとして、表示義務も課さずに流通を許可した。こうして今や、ゲノム編集された牛や鯛や河豚が食卓に上る状況となっている。

これまで人類が行ってきた品種改良も遺伝子を変化させる行為であったのは事実だが、試行錯誤の中で、時間をかけて、悪影響がないかを調べてきた。自然選択の過程を経ていたのである。ところが、ゲノム編集では狙った遺伝子を人間の手で切断するのだから人為選択で、どのような悪影響が起こるかについて時間をかけて調べていないのだ。

この技術の問題点の一つは、狙った遺伝子を切断する際、標的の遺伝子とは異なった遺伝子を切断してしまうオフターゲットの確率があることだ。そして、標的であれオフターゲットであれ、切断された遺伝子の近辺で大規模な染色体の破砕が起こるという問題がある。そのような牛や魚類を食べた人間には、重篤な病気を引き起こす可能性があるという。

私が心配するもう一つの問題点は、遺伝子と遺伝情報とは一対一対応ではなく多対多、つまり一つの遺伝子がいくつもの遺伝情報に関係し、一つの遺伝情報が多くの遺伝子からの寄与から成り立っている可能性があることだ。人間の遺伝子は二万数千とされているが、人間の遺伝情報はたったそれだけではなく、もっと多くの遺伝子が少しずつ寄与してもっと多数の遺伝情報をコントロールしているのではないか。そうだとすると、牛や魚の一つの遺伝子の切断が他の多くの遺伝情報に影響することを通じて、人体に悪影響を与えるかもしれない。

便利な技術だからとすぐに飛びついて金儲けに使う、果たしてそれでいいのだろうか。

（「中日新聞」二〇二二年一月）

12　陰謀論のアレコレ

陰謀論とは、「ある出来事について、一般に理解されている事実や背景とは別の、何らかの謀略が存在することを主張する意見」が最も温厚な定義で、ウイキペディアの定義では、「強い権力をもつ個人ないし団体が一定の意図を持って一般人の見えないところで事象を操作している、またはしていたとする主張」と、その目的まで踏み込んでいる。私は、少なくともある政治的な意図が背景にあることが陰謀論の特徴だと思っている。実際にはさまざまなタイプの陰謀論が現われるので一つの定義に収まらない。情報化社会の宿痾（しゅくあ）として陰謀論を研究する価値があるのではないだろうか。

かつて、アポロ計画での月面探査は、旧ソ連に宇宙開発の先を越されたアメリカのでっち上げで地球上で撮影されたものだとか、９・１１同時多発テロは石油利権を奪回するためのアメリカの自作自演だという陰謀論がまことしやかに語られ、未だに信じている人もいる。これらは意表を突く観点であり、いかにも本当らしい画像を利用して信じさせようというだけに、手が込んだ陰謀論と言うべきだろう。

現在の、新型コロナはただの流行性感冒と同じだとか、ワクチンは殺人兵器などとの荒唐無稽な懐疑論にはさすがに同調する人は少ないが、武漢の生物兵器研究所から漏れ出したウイルスが原因とのトランプ前大統領の言明は、今も多くの人々を惹きつけている陰謀論である。証拠はなくとも、さもありなんと人々に思わせ脳に刷り込まれるから、トランプの作戦勝ちであった。しかし、私に言わせれば、アメリカだって生物兵器開発を秘密裏に行っており、同様なウイルスの漏出の可能性は否定できないはずである。そう指摘される前にトランプが先に手を打ったのかもしれない。証拠が永遠に出ない事象についての陰謀論は先手必勝なのである。

　地球環境問題では、地球の温暖化は産業界の利益を守るための陰謀だと昔から言われてきたし、CO_2原因説は原発推進のための陰謀論であると主張する人がいる。さらに、地球という複雑なシステムには揺らぎがあり、そう簡単に温暖化したと言い切れない、地球環境にはさまざまな変動要因があってCO_2一元論は単純化し過ぎている、との疑問はもっともらしく聞こえる。しかし、八月に出たＩＰＣＣ（気象変動に関する国際パネル）の第六次報告は、地球温暖化が現実に進行し、それは人間の諸活動に原因があることを明確に言明している。地球環境危機がどんどん先鋭化している現在、これらの陰謀論は終わりにしなければならない。

　それとは別に、一般に常識だと思っていることであっても、真実は別であり、政治的に利用されているかもしれないから用心せよ、という意味であれば陰謀論は評価すべきである。満州事変の引き金となった柳条湖（りゅうじょうこ）事件は日本軍のでっち上げであったし、アメリカがベトナム戦争への介入の口実としたトンキン湾事件は米軍の捏造（ねつぞう）であった。戦争は、このような「不当な」攻撃を受けたことを口実とし、「自衛のための反撃」から始まるのが常である。戦争は陰謀論の温床なのだから用心が必要である。

デジタル社会になって大量の情報が流通する現代の世界はむしろ単純化しており、人目を惹く変わった主張が陰謀論として流通しやすくなっている。陰謀論がデマ（流言蜚語）を喚起してパニックを引き起こさないよう、私たちはよくよく眉（まゆ）に唾をつけて相対しなければならない。

（「中日新聞」二〇二一年十二月）

13 「人新世」とは何か

近頃、地球の現代の年代を「人新世」(「じんしんせい」あるいは「ひとしんせい」)と名付けた関連書籍が多く出版されている。「経済や政治の行き詰まりの原因は、人類の作ったシステムの限界にある」との意味に使われていることが多いようである。それはそれで、現在の人間のあり様を考えさせるためには新鮮に響く言葉であろう。

しかし元来「人新世」とは、地球四六億年の歴史を、地層に残されている化石などを下にして、地質年代の区分けについて議論されてきた学術用語である。現代の地質年代の正式名は「新世代第四紀完新世」と呼ばれる。人類の時代と言われる第四紀は約二五八万年前に始まっており、氷河期を終えて温暖化した地球においてマンモス等が絶滅して、人類が地球の真の主人公となったほぼ一万一七〇〇年前から現代まで続いているのが完新世である。そして今や、人類が地球に大きな影響を与え、化石とは違った形の痕跡を地質に残すようになっている。そこで現代を地質年代の新たな区分として位置づけるべきとの議論が国際的に提起された。その呼び名が「人新世」なのである。

化石とは違った地質への痕跡とは、核実験によって地層に蓄積された長寿命の人工放射能、化石燃料の燃焼による空気中の二酸化炭素量、過剰なプラスチック製品の使用による海水及び海底のマイクロプラスチックごみの集積などで、これら人類の活動による廃棄物が地球規模に分布する「新たな化石」であることは明らかだろう。

このような「新たな化石」の発生がいつから始まったかを省みれば、地下資源を用いた大量生産・大量消費・大量廃棄時代を招く端緒となった産業革命期か（現在から約二五〇年前）、第二次世界大戦終了後からグローバルに展開された生産力増強と軍拡競争の開始の時期（現在から約七〇年前の一九五〇年代）のいずれかである。私たちの生きる現代において、これらが地球に大きな負荷をかけていることは明らかであろう。その過程で刻み込まれ、蓄積された地球への刻印が「新たな化石」となって後世に渡されようとしているのである。

私が非常に心配しているのは、天変地異による生物の大量絶滅が過去に五度引き起こされたが、地球規模の環境問題がいよいよ先鋭化することにより、人類の存在によって六度目の大量絶滅が引き起こされることである。それは人類そのものの大量の無念の死につながるのではないだろうか。

かつて私は「エコロジカル・フットプリント（生態学的足跡）」という概念を用いて、「人類には地球があと二個必要」というキャッチフレーズで、過剰な消費体質が持て囃されるなかでの貧富の差の拡大を論じたことがある。先進国が謳歌しているのと同じ暮らしを全人類が求めれば、「地球がもう二つ必要」となる時代を迎えている、と結論したのだ。

しかし、地球は一個のままで人類はなんとか継続している。それが可能な理由は、資源や富の不公正な配分を当然としているからである。実際、年間に六〇〇万人（一分間に十一人）が飢えで亡くなっていることを忘れてはならない。つまり、「人新世」とは人類が自然をいっそう収奪し、貧者に辛苦を押し付けることがどんどん拡大している時代なのである。その意味では、「人侵世」あるいは「人辛世」と呼ぶ方が当たっていると思うのだが、いかがだろうか。

（「中日新聞」二〇二一年十一月）

14　安全を標榜した法律が牙を剝く

新型コロナウイルスの感染を抑えることの困難に直面して、二〇二一年、政府は感染症対応の特別措置法と感染症法などの改正案を国会に提出した。その法律には、営業時間短縮命令に応じない飲食店に対して過料を課すこと、感染者が入院を拒否したり、入院先から逃げたりすると懲役刑や罰金などの厳罰を課すことが盛り込まれている。国民の安全・安心のために感染拡大を抑制するとして、感染抑止に非協力な者には刑罰でもって抑え込もうというわけだ。

これだけウイルス感染が広がっているのだから、国民は一致協力して国の方針に従わねばならないとか、刑事罰を課すのは酷なのだが一時的な措置で例外的なケースだから仕方がない、という受け取り方をされている方も多いのではないか。しかし私は、この方針に対して危険な臭いを感じている。安全を標榜する法律が、時間が経つうちに牙を剝いて、大きな禍根を残すのではないか、そんな事態を危惧するためである。

人間には、多数の人がやっているのだから自分もそれに合わせておこうという同調意識が働くものである。そのように振舞っておれば間違いなさそうだし、たとえ間違ったとしても多くの人も同じだから非難されることはない、と思うからだ。やがて、皆と同じであることが「普通」であり、異なった行動をする人は「普通」ではないと見なして胡散臭いと思うようにもなる。異なった行動は秩序を乱す、同じように行動せよ、と言いたくなるのだ。それがＫＹ（空気を読め）と説教する同調圧力に変わり、周囲の人間の思いを忖度して大勢に従うべきだ、というふうにだんだんエスカレートするようになる。

今回の法改正がなされたとしても、罰則される者はごく少数であることは確実である。しかし、それが報道されたりすると、自分たちはそんな多数の違法な人間に囲まれているのかと思い込み、とにかく厳罰に処すべきと考える。自分が感染させられる恐怖とともに、社会正義のためには法改正が必要だと錯覚するのだ。

既に「自粛警察」という行為が広がっているように、人々が人々を監視し、時には脅迫じみた言葉で排除の圧力を加える動きがあちこちで生じている。それが法律によって後押しされると、同調圧力は公然たるものになるだろう。そこに根拠のない噂やデマが流れると、思いがけない行動に移ってしまう危険性がある。関東大震災のときには朝鮮人虐殺が起こり、同時に無政府主義者を「主義者」と呼んで排撃したし、戦時中は国の方針を批判する人間を「非国民」とか「売国奴」と呼んで日本人扱いしなかった。また、明治以来ハンセン病の人々が強制隔離され、感染力が非常に弱いことが判明した後もその措置がずっと続いた。いったん偏見を植え付けられると人々は容易に改めることができず、政府もそれに便乗して差別を続ける。異質の人間を排除することによって国家の統合を図るという政策は、為政者が採用する常套（じょうとう）手段なのである。

安全を標榜する法律がいったん成立して、違反者に厳罰を課すことが許容されると、その制定の歴史が残る。そして感染症に止まらず、権力批判の思想まで人々の安全を阻害すると拡大解釈されていく危険性がある。戦前の治安維持法が人々の民主的権利を奪い取るまでに拡大された歴史を忘れてはならない。人々の安全を標榜した法律が牙を剝くのである。

（「中日新聞」二〇二一年九月）

あとがき

ロシアがウクライナへの侵略を開始してからまだ二年足らずであるのに、地球上の人間社会がひどく野蛮になった気がする。パレスチナの人々がかろうじてひしめき合って生きているガザへのイスラエルの無残な攻撃があり、それを自衛権の行使だとして擁護するアメリカやドイツの態度が、その思いに輪をかけている。子どもたちや病人など無辜(むこ)の人々、さらには保育器につながれた赤ん坊たちをも殺傷することに正義のひとかけらもない。それを世界がこぞって非難することができないでいる。人類はそんな低劣な人間の集団に堕してしまったのかと、今さら驚くほかない。人間の歴史は百年も後戻りしたのであろうか。そして、世界は自己の欲望に従ってのみ行動し、弱肉強食の烏合(うごう)の集合体に過ぎなくなったのであろうか。

このような国際的に生起している出来事に絶望的な思いを抱きつつ、この日本も劣らず非人間的な道を歩んでいると思わざるをえない。岸田内閣は安倍内閣が目指していた日本の軍拡路線を「安全保障戦略」としてより大々的に展開し、世界第三位の軍事大国への道を具体的に歩み始めている。のみならず、武器の生産・輸出を国策とする「死の商人国家」となろうと邁進(まいしん)している始末である。一切の戦力を持つことを拒否して戦争を放棄した日本であるはずなのに、臆面もなく先制攻撃が可能となる武力を備えることに専心している。そして、私たちはそれを押しとどめることができないまま、軍事力による抑止路線に走る政治家が国会の多数を占める状況になっている。日本は野蛮な世界の縮図のごとく、戦争を許容する国となりつつある。憲法九条を持っていてもそれを有効に生かすことができないまま、世界に伍して野蛮な集団に仲間入りしているに過ぎないのであろうか。

そんなことを思いながら老いの日々を送っているのだが、ただ黙って低劣な日本へと進みゆくのを見ているだけでありたくない。どんなにささやかであり、どんなに小さな声であろうと、何がしかのことを言い、人々に伝え、共に考え、行動しよう、そう思って綴ってきたのが本書の文章である。私は、歴史の重大局面に遭遇したとき、世の中の野蛮な大勢とは一線を画し、それに対し常に異論を主張する人間でありたい、そう思いつつ、自らの存在証明のつもりで書いてきた。本書を読んで、私の思いを共有できる人々が少しでもおられれば、こんなに素晴らしいことはない。人間は決して孤独ではなく、必ず共鳴する人はいるのだと心強く思えるからである。さらに、本という形にしておけば、古書となった本をいつか繙(ひもと)いて過去を省みる人がいるかもしれない。そのときに、こんなふうに考えを主張した人間もいたことを見つけ出し、歴史の証言者として位置づけてくれるかもしれない。つまり、私が書き続けるのは、ささやかであろうとも現代と未来の読者との対話を通じて、この時代の出来事を刻印するためなのである。

而立書房には、二〇二一年六月に『科学と社会へ望むこと』を出版して頂いた。それ以来あまり時間が経っていないのだが、この間に世界や日本の急激な変化を目の当たりにして、書かずにおれなかった文章が多くあり、急遽まとめておくことにした。またここ数年の間に書いて、収録しないままであった文章もここに採録することにした。どの文章にもそれを書いたときの意気込みが思い出され、そのまま捨て置いてしまうのは何だか申し訳ない気分になって、なんとか生き返らせてやりたいと思ってしまうのである。

第一章のウクライナ問題についての意見・感想は、ほとんど未発表の文章ばかりである。というのは、どこの新聞社も渋って掲載してくれなかったので、書くには書いたがファイルに綴じ込んだままになっていたからだ。講演会で持論を述べたとき、それに共鳴してくれる人はおられたのだが、やはり少数派であったのだろう。おそらく、読者が減っている新聞社では、異端の記事を載せたことで抗議が殺到し、さらに読者が減少することを恐れて印刷を躊躇したのだと思っている。

第二章では、私が新潟県の原発事故検証総括委員長に就任してから解任されるまでに見聞した経緯をまとめている。原発は科学技術に深く関係する問題なのだが、今や極めて政治的テーマとなっている。この委員長職は一介の科学者である私には分不相応な役割であったことがよくわかったが、いろいろ学ぶことも多かった。この過程で見聞したことも含め、原発問題の現状についての私の意見は、いずれ出版する予定である。

第三章は、岸田内閣の軍拡路線が露（あらわ）になって以後の、大学や日本学術会議に対する政府の圧力について書いたものである。学問を大事にしない日本という国は、今や学術の府から転落するという危機の状態にある。この切羽詰まった思いを伝えておきたいのだ。

第四章は、日本国憲法の内実をじっくり再吟味することを通じて、日本の立ち位置や進むべき方向を再確認したいとの思いで書いた。日本を「新しい戦前」とさせないための方策は、この憲法を守っていく以外にはないのである。

続く第五章では、いつもの「池内流科学読本」で、科学を楽しみつつ、科学とは何かを考えようとした文章を集めた。やはり私は、科学の使徒であり、科学の伝道者であるのだが、科学を厳しく見つめる人間でありたいとも思っての感想である。

最後の第六章は、もう二五年もの間続けている「中日新聞」の「時のおもり」という標題のコラムである。その最新作を収録した（東京新聞にも一部転載されている）。日常に起こる事柄の、科学者の目で見た一側面と言えるのではないかと思っている。

以上、簡単に本書の内容を紹介したが、この激動の季節を何らかの形で記録し、何がしかの感想を付け加えて文章として発表できることに感謝している。幸いまだボケるようではなさそうなので、寄る年波にも負けずに可能な限り言葉を紡ぎ、老害にならぬよう気を遣いながら、さらにまたこのような本が出せるよう精進するつもりである。

本書を出すに当たって、而立書房の倉田晃宏さんには大いにお世話になりました。ここに謝意を表します。

二〇二三年十二月

池内　了

［著者略歴］

池内 了（いけうち・さとる）

1944 年、兵庫県生まれ。宇宙物理学、科学技術社会論。

総合研究大学院大学名誉教授、名古屋大学名誉教授。世界平和アピール七人委員会委員、九条の会世話人。

『お父さんが話してくれた宇宙の歴史』（全 4 巻、岩波書店）で産経児童出版文化賞 JR 賞、日本科学読物賞、『科学の考え方・学び方』（岩波ジュニア新書）で講談社科学出版賞、『科学者は、なぜ軍事研究に手を染めてはいけないか』（みすず書房）で毎日出版文化賞特別賞を受賞。

著書に『科学者と軍事研究』『科学者と戦争』（岩波新書）、『ねえ君、不思議だと思いませんか？』『原発事故との伴走の記』『科学と社会へ望むこと』（而立書房）、『宇宙研究のつれづれに』『姫路回想譚』（青土社）ほか多数。


彷徨（さまよ）える現代（げんだい）を省察（せいさつ）する　科学者（かがくしゃ）の世界（せかい）の見方（みかた）

2024 年 2 月 20 日　第 1 刷発行

著　者　池内 了
発行所　有限会社 而立書房
東京都千代田区神田猿楽町 2 丁目 4 番 2 号
電話 03（3291）5589 ／ FAX 03（3292）8782
URL http://jiritsushobo.co.jp

印刷·製本　モリモト印刷 株式会社

落丁・乱丁本はおとりかえいたします。

ISBN 978-4-88059-441-5 C0040

池内 了

2021.6.10 刊
四六判並製
288 頁
本体 1800 円（税別）
ISBN978-4-88059-427-9 C0040

科学と社会へ望むこと

科学技術社会と呼ばれる現代、科学・技術は社会に福音をもたらすだけでなく、大規模な事故や悲惨な事故の原因にもなっている。コロナ禍、日本学術会議の問題、原子力・ＡＩなど……同時代の動きを科学の目線で見つめ、解決のヒントを探る。

池内 了

2019.2.25 刊
四六判並製
272 頁
本体 2000 円（税別）
ISBN978-4-88059-412-5 C0040

原発事故との伴走の記

福島原発事故以来、書き継がれてきた著者の原子力に関する発言を一挙収録。放射能との付き合い方、再生可能エネルギー、脱原発を決めたドイツの挑戦と困難、廃炉のゆくえ、などなど。原発事故を文明の転換点として捉えなおす道筋をしめす。

池内 了

2016.12.20 刊
四六判並製
288 頁
本体 1900 円（税別）
ISBN978-4-88059-399-9 C0040

ねえ君、不思議だと思いませんか？

大学における科学者とお金の問題、リニア新幹線、STAP 細胞騒動、ドローンという怪物、電力自由化の行方、宇宙の軍事化、町工場の技術 etc... 近年の科学トピックスを、豊富な専門的知見から、わかりやすくひもといたエッセイ集。

與那覇 潤

2023.11.20 刊
四六判並製
240 頁
本体 1800 円（税別）
ISBN978-4-88059-439-2 C0095

危機のいま古典をよむ

コロナ、ウクライナ、そして……危機の時代こそ専門家任せにせず、先人が本気で思考した書物にあたり、自分の頭で考えることが必要だ。E.トッド、苅部直、佐伯啓思・宇野常寛・先崎彰容、小泉悠との対話も収録し、現代日本の諸問題に迫る。

三浦 展

2022.11.10 刊
四六判並製
352 頁
本体 2000 円（税別）
ISBN978-4-88059-437-8 C0052

ニュータウンに住み続ける 人間の居る場所３

高度成長にともなう都市圏人口の急増への対応策として 1960 年代に計画された郊外ニュータウンは現在、住民の高齢化・設備の老朽化を迎え危機に瀕している。ここにいたる住宅政策の歴史をふりかえり、未来のニュータウン像を模索する。

藤村靖之

2020.12.20 刊
四六判並製
320 頁
本体 1800 円（税別）
ISBN978-4-88059-425-5 C0037

自立力を磨く お金と組織に依存しないで豊かに生きる

お金と組織に依存しないで豊かに生きるためには、自立力が必要だ。自立力の中身は『自給力』『自活力』『仲間力』の３つ。たくさんの実例とともに、愉しく「自立力」を身につければ、資本主義が破綻しても力を失うことはない……。